HERMAN MELVILLE • **Kâtip Bartleby**

Bartleby, the Scrivener
© Önsöz: 2008, Jorge Luis Borges, "Introduction to Bartleby
the Scrivener", The Wylie Agency

İletişim Yayınları 135 • Dünya Klasikleri 3
ISBN 13: 978-975-05-0593-5
© 1991 İletişim Yayıncılık A. Ş.
1. BASKI 1991, İstanbul
2. BASKI 2008, İstanbul

DİZİ YAYIN YÖNETMENİ Orhan Pamuk
DİZİ EDİTÖRÜ Emre Ayvaz
EDİTÖR Belce Öztuna
KAPAK UYGULAMA Suat Aysu
KAPAKTAKİ RESİM "Herman B. Marinelli'nin Ofisi", 1907
   New York Life at the Turn of the Century in Photographs
   isimli kitaptan, Byron Collection of the Museum of the
   City of New York, Dover Publications, New York, 1985
UYGULAMA Hüsnü Abbas
DÜZELTİ Ceren Kınık
BASKI ve CİLT Sena Ofset
Litros Yolu 2. Matbaacılar Sitesi B Blok 6. Kat No. 4NB 7-9-11
Topkapı 34010 İstanbul Tel: 212.613 03 21

İletişim Yayınları
Binbirdirek Meydanı Sokak İletişim Han No. 7 Cağaloğlu 34122 İstanbul
Tel: 212.516 22 60-61-62 • Faks: 212.516 12 58
e-mail: iletisim@iletisim.com.tr • web: www.iletisim.com.tr

HERMAN MELVILLE

Kâtip Bartleby
Bir Wall Street Öyküsü

Bartleby, the Scrivener

ÇEVİREN **Münir H. Göle**

JORGE LUIS BORGES'İN ÖNSÖZÜYLE

i l e t i ş i m

HERMAN MELVILLE New York'un saygın ailelerinden birinin üçüncü çocuğu olarak 1819'da dünyaya geldi. Babasının sözleriyle "çekingen çekingen konuşan, kafası biraz ağır çalışan" bir çocuktu ve hayatının bu ilk yıllarında geçirdiği kızıl hastalığı yüzünden Melville daha da zayıf düşmüştü. İhracat işiyle uğraşan babası, 1830 yılında iflas etti, iki sene sonra da öldü. Bunun üzerine kardeşler arasındaki en büyük erkek olan Gansevoort ailenin başına geçti. Melville de amcasının çiftliğinde ve bir bankada çalıştıktan sonra, ağabeyinin yanında işe girdi. Bu sıralarda bir şeyler yazmaya da başlamış, ancak para kazanmak için çalışması gerektiğinden, yazdıklarına istediği dikkati gösterememişti. Zaten ağabeyi de tıpkı babası gibi iflas ettiğinde, Melville için yeni bir hayat başlayacaktı: St. Lawrence isimli gemide kamarot olarak işe girip New York'tan Liverpool'a gidecekti. 1849'da yayımlanan *Redburn* kitabında bu yolculukta yaşadıklarını anlatır.

Tıpkı Joseph Conrad gibi gençlik yıllarını gemilerde geçiren Melville, denizcilerin hayatından hoşlansa da profesyonel bir denizci olmak istemiyordu. Ailesine para gönderebilmek için bu dönemde öğrencilere özel dersler verdi ve amcasının yanında çalıştı. Fakat bir türlü düzenli para kazanmayı başaramıyordu; 1841 yılında Acushnet gemisiyle bir defa daha denizlere açıldı. On sekiz aylık bir yolculuğun sonunda gemidekilerle birlikte ulaştıkları Marquesas Adaları'nda tutsak düştükleri yerlilerle birlikteyken yaşadıkları, Melville'in beş sene sonra çıkan ilk romanı *Typee*'nin de konusunu oluşturur. *Typee*'den bir sene sonra basılan ikinci romanı *Omoo*'da da kendi deneyimlerinden faydalanacak, Tahiti'ye ulaşan geminin paralarını alamadıkları için öfkeli olan tayfalarının atıldıkları hücrede yaşadıklarıyla birlikte Melville "medeniyet" ve "ilkellik" üzerine anlatmak istediklerini de dile getirme fırsatına kavuşacaktı. *Omoo*'yu yayımladığı yıl Melville, Elizabeth Shaw'la evlendi ve çift önce New York'a sonra da Massachusetts'e taşındı. Ağabeyi birkaç sene önce ölmüş, ailesinin bütün yükü onun omuzlarına binmişti. Hayatının bu yorucu yıllarında Melville, insanın yeryüzündeki macerasının, tutkularının ve inançlarının anlamını ansiklopedik boyutlarda dramatize ettiği ve pek çok eleştirmence Amerikan edebiyat tarihinin en mükemmel romanı olarak kabul edilen *Moby Dick*'i yazdı. Aynı yıllarda dönemin bir başka büyük yazarıyla, Nathaniel Hawthorne'la da arkadaşlık ediyordu. Bugün şaşırtıcı gelse de, *Moby Dick* büyük bir ilgisizlikle karşılanmış, kitabın otuz üç yaşındaki yazarı da bu yüzden ne yapacağını şaşırmıştı. 1853'te New York'taki yayıncısının binasında yangın çıktı ve Melville'in depoda duran kitaplarının büyük çoğunluğu da bu yangında yandı. Melville, bütün bu felaketlere ve okuyucuların ilgisizliğine rağmen yazmayı sürdürdü ve dergilerde basılmak üzere hikâyeler kaleme aldı. *Putnam's Monthly Magazine*'de çıkan bu hikâyelerden biri de "Kâtip Bartleby"dir.

Yayımcısı Harper's bir sonraki romanını basmayı reddetmiş, Melville de para kazanabilmek için New York'ta gümrük müfettişi olarak çalışmaya başlamıştı. On dokuz senelik bu dönem boyunca *Moby Dick*'in 3000 adetlik ilk baskısı hâlâ tükenmemiş, Melville başyapıtından toplamda en fazla beş yüz dolar para kazanabilmişti.

Herman Melville 1891 yılında hastalandı ve Eylül ayının yirmi sekizinci günü çok kısıtlı bir çevrenin tanıdığı adsız sansız bir yazar olarak, New York'taki evinde öldü. *New York Times* gazetesinde ölümü üzerine çıkan anma yazısında ismi yanlışlıkla "Henry Melville" olarak basılmış, Herman Melville 1920'li yıllara kadar az bilinen, az okunan bir yazar olarak kalmaya devam etmişti. Fakat 20. yüzyıla gelindiğinde, Amerikan edebiyatının bu benzersiz romancısına olan ilgi arttı ve biyografiler, eleştirel kitaplar ve kitaplarından sinemaya uyarlanan filmlerle Melville büyük bir yazar olarak kabul görmeye başladı.

ÖNSÖZ*

J. L. BORGES

1851 Kışı'nda Melville, kendine ün kazandıran dev romanı *Moby Dick*'i yayımladı. Sayfalar boyunca devam eden anlatı, dünyanın boyutlarına ulaşıncaya kadar genişler: Başında, okuyucu konuyu balina avcılarının sefil yaşamları sanır, ardından izleğin, tek saplantısı Beyaz Balina'ya saldırıp öldürmek olan Kaptan Achab'ın çılgınlığı olduğuna inanır, en sonunda balinanın da, Achab'ın da, gezegenin okyanuslarındaki bitmez tükenmez kovalamacanın da evrenin simgeleri ve aynaları olduğunu kavrar. Kitabın simgesel olduğu izlenimini uyandırabilmek amacıyla Melville, abartarak tersini iddia eder: "Kimse *Moby Dick*'i korkunç bir masal, hele daha beteri, iğrenç ve çekilmez bir alegori olarak incelemesin" (*Moby Dick*, XLV). Alegori sözcüğü bilindik anlamıyla alındığından eleştirmenleri şaşırtmışa benziyor. Hepsi eserin töresel yorumuyla sınırlı kalma yolu-

---

(*) Borges, *Bartleby*'i İspanyolca'ya çevirmiştir (Emece, Buenos Aires, 1943).

5

nu seçmiş gibi görünüyorlar. Örneğin E.M. Forster, "Birkaç sözcükle özetlenir ve somutlaştırılırsa, *Moby Dick*'in tinsel izleği aşağı yukarı şudur: Kötü'ye karşı savaşını çok ileri götürmek veya beceriksizce sonuçlandırmak," diyor (*Aspect of the Novel*, VII).

Tamam, buna karşın balina simgesinin, dünyanın kötülüğünden çok, sınırsızlığını, acımasızlığını, hayvanca ve gizemli anlamsızlığını esinlediğini varsaymak daha elverişli görünüyor. Öykülerinden birinde Chesterton, tanrıtanımazların evrenini merkezsiz bir labirentle karşılaştırıyor. *Moby Dick*'in evreni de böyledir: Hem agnostiklerin sezdikleri gibi kötülüğü açıkça belli hem de Lukretius'un dizelerinde geçtiği gibi akıl almaz bir kozmos (bir kaos)...

Moby Dick, Shakespeare ve Thomas de Quincey'nin, Browne ve Carlyle'ın yöntemlerini kullanan ve birleştiren bir İngilizce ile kaleme alınmıştır; Bartleby dengeli ve nükteli bir dille yazılmıştır, tüyler ürpertici bir konuyu işlemek için kararlı kullanımı Franz Kafka'nın habercisi gibidir. Buna karşın, bu iki kurgu arasında, gizli ve özde bir benzerlik vardır. İlkinde Achab'ın saplantısı, gemideki bütün adamları bozar, en sonunda da yok eder; ötekinde ise Bartleby'nin saf yürekli nihilizmi meslektaşlarına, hatta öyküsünü anlatan ve gerçekdışı görevlerinin ücretini ödeyen dar görüşlü beyefendiye bulaşır. Sanki Melville, "Bir tek kişinin usdışı olması, öteki bütün insanların ve evrenin de onu izlemesi için yeterlidir," diye yazmışa benziyor. Evrensel tarih bu korkuyu doğrulayan örneklerle doludur. Bartleby, *The Piazza Tales* (1856, New York, Londra) başlıklı cilde aittir. Bu derlemedeki bir başka öykü hakkında John Freeman, Joseph Conrad benzeri bir parça yayımlanmadan önce anlamının bütünüyle anlaşılamadığını iddia etmektedir; bana sorarsanız, ben Kafka'nın eserlerinin Bartleby üzerine sonradan ilginç bir ışık yansıttığı görüşündeyim. Bartleby, 1919'a doğru Franz Kafka'nın yeniden bulgulayıp derinleştireceği bir biçim ortaya koyuyordu: Davranış bozuklukları ve duygusal sapkınlıklar ya da bugünkü olur olmaz kullanımıyla, psikolojik bozukluklar. Buna karşın, Bartleby'nin ilk sayfaları Kafka'yı düşündürmez, daha çok Dickens'ı andırır veya tekrarlar. 1849'da Melville karmakarışık, neredeyse okunamaz romanı *Mardi*'yi yayımlamıştı, temeldeki özü *Şato, Dava* ve *Amerika*'nın saplantılarına ve düzeneğine bir öncelemeydi: Sınırsız bir okyanusta sonu gelmez bir kovalamaca.

Melville'in başka yazarlarla benzerliklerinden söz ettim. Onu ötekilerin altına yerleştirmiyorum, yalnızca bütün betimleme veya tanımın kurallarından birini, bilinmeyeni bildik kılmayı amaçlayan kuralı uyguluyorum. Melville'in büyüklüğü yadsınmaz, ama ünü yenidir. Melville 1891'de öldü, ölümünden yirmi yıl sonra *Encyclopaedia Britannica*'nın 11. baskısı ondan basit bir denizci yaşamı yazarı olarak söz ediyordu; Lang ve George Saintsbury, 1912 ve 1914'te, İngiliz Edebiyatı tarihlerinde sessizce onu atlıyorlardı. Daha sonra Arabistanlı Lawrence ve D.H. Lawrence, Waldo Frank ve Lewis Mumford tarafından ortaya çıkarıldı. 1921'de Raymond Weaver, ilk Amerikan monografisini yayımladı: *Herman Melville, Mariner and Mystic*; ardından John Freeman 1926'da eleştirel bir biyografisini yayımladı: *Herman Melville*.

Nüfusun yoğunluğu, kentlerin büyüklüğü, yaygaracı bir tanıtımın yalanları sonucu, Amerika'nın geleneklerinden biri de isimsiz büyük adam oldu. Edgar Allan Poe için bu böyleydi, Melville için de böyle oldu.

1974 EKİ

Valery Larbaud, İspanyol-Amerikan edebiyatının yoksulluğunu, A.B.D.'nin bolluğuna karşı göstermiştir. Genellikle, bu ayrılığın nedenleri nüfusa ve toprağa bağlanmıştır. Buna karşın, büyük Amerikan yazarlarının sınırlı bir bölgeden çıktıkları unutulmamalıdır: New England. Açıkça komşuydular. "İlk devrim" ve "Far East" dahil her şeyi birlikte icat ettiler.

İngilizce'den çeviren MÜNIR H. GÖLE

BARTLEBY ÜZERİNE

MÜNİR H. GÖLE

Bartleby bir Wall Street öyküsüdür; Wall Street=Duvar Sokak – biri beyaz, biri kara iki duvarın arasında sıkışıp kalmış, uzun kör duvar düşlerine dalan, yaşamını kalın duvarlar arasında bitiren bir yazıcının öyküsüdür.

Moby Dick, Melville'in karışık edebi yaşamının sonunu değil, ortasını vurgulamaktadır. Yeni kurgusunun dar alanında, yazma tekniğini kesinleştirmiş, imgelerle olayların bağlantılarını daha büyük bir kesinlikle kullanmaya başlamıştır. Ama ilgisizlik, çevresindeki duvarları üzerine kapatmıştır.

Bartleby, yazar Melville'in meselinin öyküsüdür.

Belki de çevresinden gelen "yeni bir iş bulmalısın", "daha çok ilgi çekecek bir kitap yazmalısın", "biraz daha akılcı davranmalısın" uyarılarına Melville, Bartleby'nin ağzından yanıt vermektedir: "yapmamayı tercih ederim", "şimdilik daha akılcı olmamayı tercih ederim".

Bartleby, Melville'in başarısızlığı ve inatla, kibirle direndiği yalnızlığının öyküsüdür.

Melville'in bütün kahramanları gibi, Bartleby de içedönük bir başkişidir. Kafamızda ilk çağrıştırdığı benzerleri arasında çağdaşı Gogol'ün Akaki Akakieviç'ini ve Kafka'nın Joseph K.'sını sayabiliriz.

Bartleby, Melville'in gümrük müfettişi geleceğine yönelttiği açık bir yansılamanın öyküsüdür.

Bartleby'nin davranışı ile Melville'in İncil'ine yazdığı notlar arasında bir bağlantı kurulabilir: "Yaşamda gerçek bir filozof gibi görünüyor, en yüce anlamda bilge insan olarak, dediğinde diretiyor, hiç esneklik göstermeden kendi yolunda gidiyor." Eserin kurgusu da Matta'nın İncil'ini neredeyse tekrarlıyor: "Zira aç idim, bana yiyecek verdiniz; susamıştım, bana içecek verdiniz; yabancı idim, beni içeri aldınız; çıplak idim, beni giydirdiniz; hasta idim, beni aradınız; zindanda idim, yanıma geldiniz" (Matta 25, Ayet 35-36).

Bartleby, Melville'in mistisizminin öyküsüdür.

Temelde "öteki benlik" (veya "Doppelganger", "gölge", "öteki") teması gözlenmektedir. Her ne kadar Bartleby "yaşamda ölüm" ise, aynı zamanda "ölümde yaşam"dır da.

Bartleby, Melville'in yaşama çelişkilerinin öyküsüdür.

Bartleby, Melville'in son başarısıdır. Simge bir geminin tayfası veya hukukçunun yazıhanesi olsun, algıladığımız hep aynı: Cehennem'den bir kesit, içinde Cennet'e bir bakış –biri kara, biri beyaz iki duvar arasından– Melville'in yazısında mitler, birbiri üstüne yerleştirilmiş, farklı açılardan saydam aynalar gibidir... okuyucuyu yansıtırlar.

NOT: Meraklı okuyucu Melville ve Bartleby üzerine yazılmış birçok yazıda yukarıdaki notlarla karşılaşacaktır. Ben yeni bir şey eklemedim, kendimce önemli olanı vurgulamakla yetindim.

Yaşını başını almış biriyim. Mesleğim gereği, son otuz yılda oldukça ilginç ve benzersiz bir insan topluluğuyla sıradan ilişkiden öte bir bağlantım oldu, ayrıca bildiğim kadarıyla hiçbir yazar bu konuya değinmedi, hukuk kâtipleri ve yazıcılardan söz ediyorum. İş gereği ya da özel olarak birçoklarıyla karşılaştım, istesem, neşeli beyleri güldürecek, hassas ruhları gözyaşına boğacak sayısız öykü anlatabilirim. Ama bütün yazıcıların yaşam öykülerini, gördüğüm duyduğum en garip kâtip olan Bartleby'nin yaşamından birkaç parça uğruna bir yana atarım. Öteki hukuk kâtiplerinin tüm yaşamını yazmam mümkün, buna karşın Bartleby için aynı şey geçerli değil. Bu adamın biyografisini eksiksiz ve doyurucu yazabilmek için yeterli gereç olmadığına inanıyorum. Edebiyat için onarılmaz bir kayıp. Bartleby, hakkında kesin bir şey söylenmesi olanaksız kişilerdendi, belki yalnızca öz kaynaklara gidilse birşeyler bulunabilirdi ki, bunlar da oldukça azdı. Bartleby üzerine bütün bildiğim, daha ileride söz edeceğim belirsiz bir raporu saymazsak, şaşkın gözlerimin gördüğünden fazla değil.

Yazıcının karşıma ilk çıktığı halini anlatmaya girişmeden önce, kendimden, memurlarımdan, işimden, yazıhanemden ve çevremden söz etmem yerinde olur, çünkü böylesine bir tanım, girişini yapmaya hazırlanan başkişinin tam olarak anlaşılması açısından gerekli.

*Imprimis:** Gençliğimden beri, en iyi yaşam en kolay olanıdır ilkesini içten benimsemiş bir adamım. Her ne kadar bazen karmaşaya bile varan, çetin ve gerginliğiyle dillere destan bir mesleğe bağlıysam da, bunun huzurumu kaçırmasına asla izin vermedim. Jüriye seslenmeyen, izleyenlerin alkışlarını toplamayan tutkusuz avukatlardan biriyim, ama sevimli inzivanın tatlı sessizliğinde, zenginlerin tahvilleri, ipotekleri, tapu senetleri gibi sevimli işlerle uğraşıyorum. Beni tanıyan herkes, son derece güvenilir biri olarak sayar. Şiirsel coşkuya pek eğilimi olmayan rahmetli John Jacob Astor,** en önemli özelliğimin önce sakınım, sonra da yöntem olduğunu söylerken duraksamazdı. Böbürlenmek amacıyla değil, ama rahmetli John Jacob Astor'un iş gereği sık sık bana danıştığını anımsamak hoşuma gidiyor. Bu adı tekrarlamayı sevdiğimi saklamayacağım, çıkardığı yuvarlak ve değirmi tını, altın akçelerin şıngırtısını andırıyor. Ayrıca rahmetli John Jacob Astor'un görüşlerine ilgisiz kalmadığımı da açıkça ekleyeceğim.

(*)   Ilk önce (Lat.).

(**) John Jacob Astor (1763-4848) Almanya'dan Amerika'ya göç edip, New York'ta küçük bir dükkânla işe başlamıştır. Sonradan kürk konusunda ticarete gidip A.B.D. sınırlarında tekel olmuştur. Ölümünde A.B.D.'nin en varlıklı kişisiydi.

Bu küçük öykü başlamadan az önce, işlerim oldukça artmıştı. Şimdi New York Eyaleti'nde kaldırılmış olan mühürdarlık görevi bana devredilmişti. Görev pek güç değildi, çok da iyi para getiriyordu. Haksızlığa veya hakarete uğradığımda seyrek olarak kızarım, öfkeden kendimi kaybettiğim ise çok daha azdır, ama bir kez patlamama ve açıklamama izin verilsin, mühürdarlık görevinin, yeni yasayla böylesine aniden ve zorla kaldırılmasını... erken alınmış bir karar olarak değerlendiriyorum. Bu görevin yaşam boyu bir gelir getireceğini hesaplamışken, yalnızca birkaç yılla yetinmek zorunda kaldım. Bunu laf arasında söylüyorum.

Yazıhanem, Wall Street No...'in ikinci katındaydı. Bir yanı, binayı aşağıdan yukarıya kateden camlı aralığın beyaz duvarına bakıyordu. Haklı olarak bu görüntünün iç karartıcı olduğu ve açık hava ressamlarının "yaşam" dedikleri manzaradan yoksun kaldıkları düşünülebilir. Buna karşın, yazıhanenin öteki yanındaki görüntü, hiç değilse çok şaşırtıcı bir karşıtlık yaratıyordu. Bu yöndeki pencerelerim zamanla ve bitmez tükenmez gölgelerle kapkara olmuş yüksek bir tuğla duvara bakıyordu, duvarın gizli güzelliklerinin farkına varmak için keskin gözlü olmak gerekmiyordu, çünkü miyopların şansına, pencereden yalnız on adım ötedeydi. Çevre binaların yüksekliği, benim yazıhanemin ikinci katta oluşu, duvarı benimkinden ayıran uzaklık, dev bir dörtgen sarnıcı andırmıyor da değildi hàni.

Bartleby'nin gelmesinden önceki dönem, yanımda iki yazıcı ve geleceği parlak genç bir odacı çalışıyordu. İlki Hindi, ikincisi Cımbız, üçüncü ise Zencefil: Bunlar rehberde benzeri olmayan adlara benzese de, aslında üç yardımcımın birbirlerine buldukları takma adlardı ve kişiliklerine bu adların uygun olduğu düşünülerek takılmıştı. Hindi; tıknaz, bodur, benim yaşlarımda, yani altmış yaşlarında, bir İngiliz'di. Sabahları yüzünün parlak kırmızı renkte olduğu söylenebilirdi, ama öğlen saat on iki oldu mu —beyin yemek saati— yanmasına yanardı, ama Noel közleri gibi gitgide sönerek, saat altıya kadar yanardı. Bundan sonra da bu yüzün sahibini görmek bana kısmet olmazdı, sanki öğle saatine güneşle birlikte ulaşıp, onunla batıp, yine ertesi gün onunla aynı düzen ve görkemle yeniden doğup, doruk noktasına ulaşıp kayboluyormuş gibiydi. Yaşamımda oldukça ilginç rastlantılarla karşılaştım, Hindi'nin pancar renkli ışıl ışıl yüzünün tam en canlı ışınlarını saçmaya başladığı anın çalışma gücünün geri kalan saatler için gerçekten azaldığı günlük dönemin başlangıcı olduğunu gözlemlemem, bütün bu rastlantılar arasında en önemsiz olanı değil. Kesinlikle tembellikten ya da dik kafalılıktan değil, gerçek sorun kendini aşırı formda göstermek istemesinden kaynaklanıyordu. O zaman da çalışmasında garip, kuduruk, heyecanlı, maymun iştahlı bir ataklık gözleniyordu. Kalemini mürekkebe hiç sakınmadan daldırıyordu. Saat on ikiden sonra, bütün evraklarım mürekkep lekesi içinde kalıyordu. Bırakın öğleden sonraki ataklığını, lekeleme alışkanlığını bir yana, bazı günler daha da ileri gidip iyice patırtıcı oluyordu. Böyle anlarda yüzü, üstüne kömür atılmış antrasit gibi, gitgide artarak yanıp tutuşuyordu. Sandalyesiyle berbat bir şamata yapmak, kum çanağını devirmek ve dolma kalemlerini onarmak için sabırsızca uğraşırken paramparça edip sinirle yere fırlatmak alışkanlıklarından bazılarıydı; hele ayağa kalkarak öne eğildikten sonra kâğıtları yumruklamaya başlaması, onun yaşında bir adam için son derece uygunsuz ve üzücü bir davranıştı. Buna karşın birçok açıdan benim için çok değerli olması ve öğleden önceki saatlerde yardımcılarım arasında en hızlı ve özenli çalışanın o olması ve dev bir işi kolay erişilemeyecek bir biçimle yapması nedeniyle tuhaflıklarına göz yumuyordum, ama yeri geldiğinde uyarmaktan da kaçınmıyordum. Doğal olarak bunu gayet yumuşak yapıyordum, çünkü sabahları ne denli nazik, yumuşak huylu, saygılı ise, öğleden sonraları en ufak bir kışkırtma ardından, o denli çabuk tepesi atıyor ve küstahlaşıyordu. Sabahki çalışmasını beğendiğimden ve kaybetmemeye kararlı olduğumdan, aynı zamanda da on ikiden sonraki ateşli davranışları beni rahatsız ettiğinden, ayrıca huzuruna düşkün birisi olarak uyarılarıma ters bir karşılık almaktan çekindiğimden, bir cumartesi günü öğleyin (cumartesileri en beter günüdür) bir köşeye çekip, kibarca yaşının ilerlemiş olduğundan belki iş zamanını kısaltmanın daha uygun düşeceğini, kısaca on ikiden sonra yazıhaneye gelmesi gerekmediğini, yemekten sonra evine gidip çay saatine kadar dinlenmesinin daha iyi olacağını önerdim. Ama hayır, öğle sonrası çalışmasının gerekliliği üzerinde diretti. Dayanılmaz bir ateşle parladı, tumturaklı bir ses tonuyla, elindeki uzun cetvelle odanın öteki yanına işaret ederek, yazıhanede sabahları yararlı oluyorsa, öğleden sonra ne denli kaçınılmaz olduğu konusunda bana güven verdi.

— İzninizle efendim, dedi Hindi fırsattan yararlanarak. Ben kendimi sizin sağ kolunuz sayıyorum. Sabahları bütün yaptığım sütunlarımı düzenleyip sıraya sokmak, ama öğleden sonra başlarına geçip kahramanca düşman üzerine sürüyorum onları, işte böyle... Elindeki cetvelle kılıçmış gibi şiddetli bir hamle yaptı.

– Peki ya mürekkep lekeleri ne oluyor, Hindi? diye dikkat çektim.

– Haklısınız efendim, ama izninizle, şu saçlara bir göz atın! Yaşlanıyorum. Kuşkusuz, yakıcı bir öğle sonrası yapılmış bir iki leke, kır saçlara karşı kullanılamaz. Yaşlılık, sayfayı lekelese de, şereflidir. İzninizle efendim, ikimiz de yaşlanıyoruz.

Cana yakınlığıma yöneltilmiş bu çağrıya karşı koymak güçtü. Ne olursa olsun, gitmeyeceği kesindi. Ben de öğleden sonra yalnızca önemsiz evrakları eline vermek koşuluyla kalmasına ses çıkarmamakta karar kıldım.

Cımbız, listemdeki ikinci kişi, yirmi beş yaşlarında, solgun benizli, bıyıklı, korsan tipli bir delikanlıydı. Onu hep iki kötü gücün kurbanı olarak gördüm: hırs ve hazımsızlık. Hırsı, hukuki işlemlerin kaleme alınması gibi sıkı sıkıya mesleki işlerin, basit bir yazıcının yükümlü olduğu görevlerin yerini alması konusunda gösterdiği sabırsızlıkla belirgindi. Hazımsızlık ise birden sinirlenmeye, alaylı alınganlığa dönüşüyor ve en ufak bir yanlışta dişlerin gıcırdaması, işin en ateşli anında ıslık gibi bir sesle saydığı ağız dolusu gereksiz küfür, özellikle çalışma masasının yüksekliği üzerine sürekli hoşnutsuzluk şeklinde ortaya çıkıyordu. Mekaniğe olan yatkınlığına karşın, Cımbız masayı kendine uygun olarak ayarlamayı bir türlü beceremiyordu. Altına talaşlar, değişik cinsten takozlar, karton parçaları koydu, hatta ince ayarını, dörde katlanmış bir kurutma kâğıdı ile sağlamaya bile çalıştı. Ama hiçbiri işine yaramadı. Sırtını rahatlamak için, masanın düzlemini, çenesiyle dar açı yapacak şekle getirip bir Hollanda evinin dik çatısını yazı masası olarak kullanan bir adam gibi yazmaya koyulunca, bu durumun kolundaki kan dolaşımına köstek olduğunu söylüyordu. Buna karşın, masanın düzlemini beline kadar indirip yazmak için aşırı eğilince, sırtının ağrı içinde kaldığından yakınıyordu. Kısaca, Cımbız ne istediğini bilmiyordu ya da istediği bir şey varsa, o da yazıcı masasından kurtulmaktı.

Hasta hırsının belirtileri arasına, müşterisi olduğunu ileri sürdüğü kuşkulu görünüşlü kılıksız tiplerin ziyaretlerine olan düşkünlüğünü de eklemek gerekir. Doğrusu, vasilik konusunda politika yaptığını, Adliye'de ufak tefek işleri olduğunu ve Tombs* merdivenlerinde bile tanındığını bilmiyor değildim. Buna karşın, yazıhaneme gelip onu görmek isteyen, onun da, bir müşterisi diye büyük havalarla bana tanıştırmak istediği kişinin gerçekte bir tahsildar, tapu senedi diye iddia ettiği kâğıdın da makbuz olduğuna inanmak için geçerli nedenlerim var. Ama tüm zayıflıklarına ve başıma açtığı bütün dertlere karşın, Cımbız da vatandaşı Hindi gibi, bana çok yararlı bir adamdı; temiz ve tez elle yazardı, ayrıca kafasına koyduğunda efendi biri gibi davranmaktan da aciz değildi. Üstelik her zaman gayet şık giyinirdi ki, bunun yazıhanemin itibarına olumlu etkisi vardı. Hindi için aynı şeyi söylemem güç. Elbiseleri yağlı gibi görünür, aşevi gibi kokardı. Yazın, bol ve salkım saçak pantolonlar giyerdi. Ceketi tiksinç, şap-

---

(*) New York hapisanesine bir zamanlar verilen ad.

kası el sürülmez nitelikteydi. Şapkasının pek önemi yoktu da —İngiliz yardımcıya özgü doğal incelik ve saygı yüzünden içeri girer girmez başını açıyordu— ceket başka bir konuydu. Ceketi ile ilgili olarak doğru yola getirmeye çabaladıysam da, boşa gitti. Aslına bakarsanız, bu kadar düşük gelirli bir adamın aynı anda hem böyle pırıl pırıl bir yüze hem de pırıl pırıl bir cekete sahip olması mümkün değildi sanırım. Bir keresinde Cımbız'ın söylediği gibi, Hindi'nin bütün parası kırmızı mürekkebe gidiyordu. Bir kış günü, Hindi'ye son derece saygıdeğer görünüşlü kendi ceketlerimden birini hediye ettim – gri renkte, yünlü, astarlı, hem rahat, hem sıcak tutan, dizden boyuna kadar düğmeli. Hindi'nin hoşuna gideceğini ve öğleden sonraki ataklığına ve gürültücülüğüne son vereceğini umuyordum. Hiç de öyle olmadı, böylesine yumuşacık bir ceketin içine sarmalanmanın kendisi üzerinde sağlığa zararlı bir etkisi olduğuna inanıyorum. Fazla arpanın atlara iyi gelmediği söylenir ya, aynı dik kafalı, huysuz atın arpasını sezdiği gibi, Hindi de ceketi seziyordu. Bu da onu küstah yapıyordu. Bu adama rahat batıyordu.

Hindi'nin alışkanlıkları hakkında kendime özgü sanılarım vardı, bunun yanı sıra Cımbız'ın, başka konulardaki yanlış davranışları ne olursa olsun, en azından ılımlı bir delikanlı olduğunda karar kılmıştım. Gerçekte doğanın kendisi içki olma görevini üstlenmiş, adamı doğuştan öyle çabuk parlayan öfkeli biri olarak donatmıştı ki, sonradan üzerine başka bir içki dökülmesi gereksiz kalıyordu. Cımbız'ın, yazıhanenin sessizliğinde, birden yerinden kalkarak, kollarını iki yana açarak, masanın üzerine eğilip kavramasını, sanki masa istemi olan, ona karşı çıkmak ve incitmek arzusuyla dolu sapkın bir canlıymışçasına, yerinden oynatıp sarsmasını, uğursuzca yerde gıcırdatmasını düşününce, Cımbız için içkinin de suyun da gereksiz olduğunun farkına varıyorum.

Şansıma, hazımsızlığı tersine çalışıyor, Cımbız'ın sinirliliği ve öfkesi genellikle sabahları gözleniyordu, öğleden sonraları ise nispeten daha sakin oluyordu. Hindi'nin krizleri öğlenleri baş gösterdiğinden, aynı anda ikisinin aşırılıklarına katlanmak zorunda kalmıyordum. Krizleri nöbet değiştiriyordu. Cımbız nöbet tutarken, Hindi dinleniyordu ve de tersi. Bu koşullarda, güzel bir doğal uzlaşmaydı.

Zencefil, listemdeki üçüncü kişi, on iki yaşlarında bir oğlandı. Babası arabacıydı, ölmeden önce oğlunun, at arabasından çok, adliye sıralarından birine kurulmasını görmek arzusundaydı. Bana, hukuk öğrencisi sıfatıyla, haftada bir dolara ayak işlerinden temizliğe her işe koşması için göndermişti onu. Kendine ait bir çalışma masası vardı, ama pek kullanmıyordu. Karıştırıldığında, çekmecelerinde sayısız çeşitte fındık kabuğu bulmak mümkündü. Keskin zekâlı bu ufaklık, bütün soylu hukuk bilimini bir fındık kabuğuna sığdırıyordu. Zencefil'in büyük bir keyifle yaptığı görevler arasında, Hindi'yle Cımbız'a çörek ve elma sağlamak en önemsizi değildi. Sözleşmeleri temize çekmek son derece kuru ve güç bir iş olduğundan, iki yazıcım gümrük ve postane çevresindeki sayısız kahvehanelerden getirilen *Spitzenberg*'lerle* boğazlarını ıslatmak

---

zorunda kalıyorlardı. Ayrıca ikide bir Zencefil'i, şu çok özel çörekten –ufak, düz, yuvarlak, bol baharatlı– almaya gönderirlerdi ki, adı da buradan geliyordu. Soğuk günlerde Hindi, bu çöreklerden hatırı sayılır bir miktar yer yutardı, sanki basit gofretmiş gibi (altı veya sekiz tanesi bir peniye satılıyordu); kaleminin gıcırtısı, ağzının şapırtısına karışırdı. Hindi'nin hararetli öğleden sonra telaşı ve heyecanı içinde, bir gün dudakları arasında ıslattığı bir zencefilli çöreği, mühür diye ipoteğin tekinin üstüne yapıştırdığı da olmuştur. İşte onu, o zaman kapıya koymama ramak kalmıştı. Ama yerlere kadar eğilip:

– İzninizle efendim, kendi cebimden size mühür sağlamak tarafımdan çok eli açık bir davranıştı, diyerek beni yumuşatmasını bilmişti.

Asıl işim –mülk devri, tahvil peşinde koşmak, her cins çapraşık evrak tanzimi– mühürdarlık görevinin bana devredilmesiyle oldukça artmıştı. Yazıcılara çok iş düşüyordu. Yanımdaki yardımcılara yüklenmek yetmiyor, yeni birine başvurmam gerekiyordu.

Verdiğim ilana yanıt olarak, bir sabah yazıhanemin kapısının eşiğine, hareketsiz bir genç adam dikildi (yaz olduğundan, kapı açıktı). Bu yüzü kafamda canlandırıyorum şimdi – solukça belirgin, acınacak saygıdeğer, çaresizce yalnız! Bartleby'ydi.

Nitelikleriyle ilgili birkaç sorudan sonra onu işe aldım. Bu denli ağırbaşlı görünen bir adamı yazıcılarımın arasına katmaktan hoşnuttum ve Hindi'nin şaşkınlığına, Cımbız'ın ateşliliğine olumlu etkisi olacağını düşünüyordum.

Daha yukarıda, iki kanatlı camlı kapıların yazıhanemi ikiye böldüğünü belirtmem gerekirdi, bir bölümde yazıcılarım, ötekinde ben bulunuyordum. Keyfimin durumuna göre kapalı veya açık tutuyordum. Bartleby'yi kapı yanında, ama benim bölümümde bir yere oturtmaya karar verdim. Böylece önemsiz bir şey yapılması gerektiğinde, bu sakin adamı çağırmak kolay olacaktı. Masasını yan pencerelerden birinin önüne koydurdum, bu pencere eskiden pis arka avlulara ve tuğla duvarlara bakıyordu, ama yeni inşaatlardan sonra, hâlâ biraz ışık almasına karşın iyice körleşmişti. Camın üç adım ötesinde bir duvar dikiliyordu ve ışık çok yüksek iki yapı arasından, kubbedeki ufacık bir açıklıktan gelir gibi diklemesine düşüyordu. Düzenlemeyi daha tatmin edici kılabilmek amacıyla, yeşil renkli yüksek bir paravan edindim, böylelikle Bartleby'yi gözden uzak, ama sesimin ulaşabileceği kadar yakına almış oldum. Bu şekilde hem beraberliğimiz hem de ayrılığımız güzelce ayarlanmıştı.

Başlangıçta Bartleby inanılmaz sayıda yazı yazdı. Kopya çekmeye uzun zamandır aç kalmış da, benim evraklarımla besleniyormuş gibi bir hali vardı. Sindirmek için durmuyordu. Gün ışığında, mum ışığında gece gündüz çalışıyordu. Biraz neşeyle çalışsaydı, uğraşından çok hoşnut olacaktım. Ama sessiz, solgun, makine gibi yazıp duruyordu.

Doğal olarak yazıcının görevinin zorunluluklarından biri, yaptığı kopyanın doğruluğunu kelime kelime gözden geçirmektir. İki veya daha çok yazıcının çalıştığı yazıhanelerde, bu gözden geçirme sırasında birbirlerine yardımcı olurlar, biri aslını tutarken, öteki kopyadan okur. Çok tekdüze, can sıkıcı, uyuşturucu bir iştir bu. Canlı bir mizacı olanlar için kesinlikle katlanılmaz olacağını kolaylıkla anlayabilirim. Örneğin, ateşli şair Byron'un tatlı tatlı Bartleby'nin karşısına oturup karınca duası gibi bir el yazısıyla yazılmış beş yüz sayfalık bir evrakı zevkle denetlediğini düşünemem bile.

Arada bir, acele işi bitirmek amacıyla Hindi'yle Cımbız'ı çağırıp kısa bir evrakın karşılaştırılmasında yardımcı olma alışkanlığım vardı. Bartleby'yi bu kadar yakınıma, paravanın ardına yerleştirme nedenlerimden biri de, böyle önemsiz durumlarda onun hizmetine başvurmaktı. İşe başladığının üçüncü günüydü sanırım, yazdıklarının denetlenmesi gerekliliği henüz ortaya çıkmamıştı, elimdeki küçük işi bir an önce bitirmek için aniden Bartleby'ye seslendim. Acelem olduğundan ve hemen harekete geçeceğini beklediğimden, başımı masamın üzerindeki asıl kopyadan kaldırmaksızın, Bartleby yerinden çıktığında hemen alıp işe koyulsun diye kopyayı da kolum havada yana doğru uzattım.

Onu çağırıp çabuk çabuk ne istediğimi, yani kısa bir sözleşmeyi benimle birlikte denetlemesini istediğimi açıkladığımda bu durumda oturuyordum. Bartleby bulunduğu yerden kımıldamaksızın, çok yumuşak ve kararlı bir sesle "Yapmamayı tercih ederim," diye karşılık verdiğinde duyduğum şaşkınlığı, yok, derin acıyı bir düşünün hele.

Kafamı toplamaya çalışarak bir süre sessizce oturduğum yerde kaldım. İlk aklıma gelen, kulaklarımın doğru duymadığı veya Bartleby'nin dediğimi yanlış anladığı oldu. Olabildiğince açık bir ses tonuyla isteğimi tekrarladım, ama aynı açıklıkta "Yapmamayı tercih ederim," yanıtı geldi.

Hışımla yerimden fırlayıp bir adımda odayı katederek "Yapmamayı tercih etmek mi?" diye tekrarladım. "Ne demek istiyorsunuz? Kafayı mı üşüttünüz? Şu kâğıtları karşılaştırmak için yardım etmenizi istiyorum sizden, alın işte," diyerek kâğıtları ona doğru uzattım.

"Yapmamayı tercih ederim," dedi.

Gözlerinin içine dik dik baktım. Yüzü zayıf, gri gözleri donuk ve sakindi, heyecandan eser yoktu. Davranışında en ufak bir rahatsızlık, öfke, sabırsızlık veya densizlik, yani en basit insanca bir duygu görseydim, kusursuz bir şiddetle kovardım yazıhanemden. Ama bu şekilde, alçıdan yapılma Cicero büstünü kapı dışarı etmekten farkı yoktu. Yeniden yazısına koyulduğunda, bir süre bakakaldım, sonra da gidip masama oturdum. Amma da tuhaf, diye düşündüm. Ne yapmak gerekirdi? Ama işimin acelesi vardı, konuyu şimdilik kapatıp ileride boş bir zamanımda ele almaya karar verdim. Öteki odadan Cımbız'ı çağırıp zaman kaybetmeden denetlemeyi bitirdim.

Birkaç gün sonra Bartleby, hafta içinde Adalet Bakanlığı Yüce Divanı huzurunda sunduğum ifadelerin dört kopyası olan dört uzun metnin yazımını bitirmişti. Denetlemek gerekliydi. Önemli bir duruşmaydı, çok titiz bir çalışma şarttı. Evrakları düzenledikten sonra, ben aslını okurken, her bir yardımcımın bir kopyayı izleyeceği düşüncesiyle yan bölmeden Hindi, Cımbız ve Zencefil'i çağırdım. Böylelikle, Hindi, Cımbız ve Zencefil ellerinde kâğıtlarıyla sırayla oturunca, bu ilginç topluluğa katılması için Bartleby'ye seslendim.

Halısız döşemede sandalyesinin ayaklarının çıkardığı gıcırtıyı duydum, az sonra ücra köşesinin eşiğinde belirdi.

– Ne isteniyor? dedi tatlılıkla.

– Kopyalar, kopyalar, dedim aceleyle. Hep beraber gözden geçireceğiz. İşte. Dördüncü kopyayı ona uzattım.

– Yapmamayı tercih ederim, deyip yavaşça paravanın arkasında kayboldu.

Birkaç saniye, oturan yardımcılarımın önünde tuzdan bir heykel gibi taş kesildim. Sonra kendimi toplayıp paravana yürüdüm ve bu olağandışı davranışının nedenini sordum.

– Neden reddediyorsunuz?

– Yapmamayı tercih ederim.

Ondan başkası olsaydı delicesine öfkeye kapılır, sözlerine kulak asmaz, rezil edip yanımdan defederdim. Ama Bartleby'de öyle bir şey vardı ki, bu yalnız garip bir şekilde elimi kolumu bağlamakla kalmayıp aynı zamanda bana son derece dokunuyor ve huzurumu kaçırıyordu.

– Denetleyeceğimiz kopyalar sizin yazdıklarınız. Size zamandan kazandıracak, dört kâğıdı da bir kere okumak yetecek. Bu işin yolu bu. Her yazıcı kendi kopyasını denetlemekle yükümlüdür. Öyle değil mi? Konuşmayacak mısınız? Cevap verin!

– Yapmamayı tercih ederim, diye karşılık verdi, tatlı bir sesle.

Ben dil dökerken, bana her açıklamamı özenle kafasında çevirdiği, anlamını gayet iyi anladığı, dayanılmaz sonuca karşı gelemeyeceği, ama yüce bir düşünceden ötürü böyle yanıtlamak zorunda kaldığı izlenimini vermişti.

– Peki mantıklı ve sağduyuya uygun isteğime uymamakta kararlı mısınız?

Kısaca bu konuda yargımın doğru olduğunu belli etti. Evet, kararından dönmeyecekti.

Daha önce hiç karşılaşmadığı şiddetle ve saçma bir şekilde gözü korkutulmuş bir insanın en derin inançlarının bile sarsılmaya başladığı oldukça sık görülür. O zaman, bana olduğu gibi, her ne kadar şaşırtıcı görünse de, gerek haklılığın, gerek aklın ötekinden yana olduğunu sanmaya başlar. Doğal olarak da, yakınlarda konuyla ilgisi olmayan başkaları varsa, kendi karışık kafasına destek sağlayabilmek için onlara yönelir.

– Hindi, siz ne diyorsunuz bu işe? Haklı değil miyim?

– İzninizle efendim, dedi Hindi en yumuşak sesiyle, bence haklısınız.

– Cımbız, ya siz ne düşünüyorsunuz?

– Sizin yerinizde olsaydım, sanırım tekmeyi basardım.

(Anlayışı güçlü okuyucu burada sabah olduğu için, Hindi'nin yanıtının terbiyeli ve sakin sözcüklerle, Cımbız'ınkinin ise hırçın sözcüklerle kaydedildiğini anlayacaktır. Ya da daha önceki cümleyi yinelersek, Cımbız'ın karamsarlığı nöbetteydi, Hindi'ninki ise dinleniyordu.)

– Zencefil, dedim lehimdeki en küçük oyu listeme katmak arzusuyla, ya siz ne düşünüyorsunuz bu konuda?

– Ben efendim, biraz çatlak olduğunu düşünüyorum, dedi sırıtarak.

– Ne dediklerini duyuyorsunuz, dedim paravana doğru dönerek, gelin buraya ve görevinizi yapın.

Oralı bile olmadı. Bir süre acı bir şaşkınlıkla düşüncelere daldım. Ama bir kez daha işimin acelesi ağır bastı. Yeniden bu ikilemin değerlendirmesini ileride boş bir zamanıma ertelemeye karar verdim. Biraz zorlanarak, Bartleby olmaksızın kâğıtların denetimini sona erdirdik. Her iki üç sayfada bir Hindi saygıyla görüşünü ortaya atıyor, bu çalışma yönteminin alışılmışın dışında olduğunu belirtiyor, Cımbız ise sandalyesi üzerinde hazımsız bir sinirle kıvranarak, dişlerinin arasından paravanın ardındaki kaz kafalıya tıslayarak lanetler yağdırıyor, kendi adına, karşılıksız olarak başka birinin işini ilk ve son kez yaptığını bildiriyordu.

Bu sırada, Bartleby köşesinde oturmuş, elindeki işten başka hiçbir şeye kulak asmıyordu.

Kâtibin, kendisini yine uzun bir çalışmaya kaptırdığı birkaç gün geçti. Son küstah davranışı, beni, onun hallerini daha yakından izlemeye sürükledi.

Hiç yemeğe çıkmadığını gözledim, doğrusu hiçbir yere çıkmıyordu. Bildiğim kadarıyla yazıhanemin dışında hiçbir özel yaşantısı yoktu. Sürekli köşesinde nöbet tutuyordu. Buna karşın, on bir sıralarında, Zencefil'in sanki benim bulunduğum yerden fark edilmesi mümkün olmayan sessiz bir işaretle çağrılmış gibi, paravanın yanına doğru yöneldiğini saptadım. Ardından oğlan birkaç bozukluğu tıngırdatarak yazıhaneden çıkıyor, bir süre sonra avuç dolusu zencefilli çörekle yeniden görünüyor, bunları paravanın ardına teslim edince de zahmetine karşılık iki çörek alıyordu.

Yalnız zencefilli çörekle yaşıyor, diye düşündüm, gerçek anlamda bir yemek yemiyor, etyemez olsa gerek, ama hayır, sebze de yemiyor, zencefilli çörekten başka bir şey yemiyor. Sonra, yalnızca zencefilli çörekle yaşamanın insan yapısı üzerinde yaratabileceği etkiler üzerine düşlere daldım. Zencefilli çörek denmesinin nedeni bu özgün tadın elde edilmesi için kullanılan maddelerden birinin zencefil olmasıdır. Peki, zencefil nedir? Kızıştırıcı ve baharatlı bir şey. Bartleby de kızışmış ve baharatlı mıydı? Kesinlikle değil. Öyleyse, zencefilin Bartleby üzerinde hiçbir etkisi yoktu. Kuşkusuz olmamasını tercih ederdi.

Ciddi bir insanı, pasif direniş kadar çileden çıkaran başka bir şey yoktur. Bu direnmeyle karşılaşan kişi insanlıktan uzak değilse, direnen ise pasifliğinde zararsızsa, ilki, en iyi zamanda tüm yardımseverliğiyle elinden geleni yapacak, hayal gücünü kullanarak aklıyla çözmesi olanaksız olanı anlamaya çalışacaktı. Çoğu zaman, Bartleby'ye ve aşırı davranışlarına böyle yaklaştım. Zavallı adam, dedim kendi kendime, içinde kötülük yok, küstahlık yapmak istemediği de açık, tuhaflıklarının elinde olmadığı da görünüşünden besbelli. Bana yararı var. Onunla anlaşmam mümkün. Kovarsam, benden daha az hoşgörülü bir patrona düşme, kötü davranışlara maruz kalma ve hatta en sefil bir şekilde açlıktan ölmeye sürüklenme şansı yüksek. Evet, burada ucuz tarafından zevkle vicdanımı onaylayabilirim. Bartleby'ye dostça davranmanın, garip inatçılığını şakaya almanın bana maliyeti ne olur ki? Buna karşın kısa zamanda vicdanım için nefis bir lokma haline dönüşüp ruhumu zenginleştirebilir. Ama her zaman böyle iyi tarafımdan kalkmıyordum. Bartleby'nin pasifliği bazen beni kızdırıyordu. Karşı koymasını sağlamak, onu kışkırtmak için alışılmamış bir istek duyuyordum, benimkine yanıt olarak bir öfke kıvılcımıyla parlamasını sağlamak istiyordum. Ama bunun parmaklarıma sabun sürterek ateş yakmaya çalışmaktan farkı yoktu.

Buna karşın, bir gün öğleden sonra, içimdeki kötü dürtü baskın çıktı ve aşağıdaki olay vuku buldu.

– Bartleby, dedim, bu evrakların kopya edilmesi bittikten sonra, beraber oturup karşılaştıracağız.

– Yapmamayı tercih ederim.

– Ne demek? Bu katır gibi inatçılığınızda diretmeyi düşünmüyorsunuz herhalde?

Yanıt yok.

Ara kapının iki kanadını açıp hiddetle Hindi'ye ve Cımbız'a seslendim:

– Bartleby ikinci defa evraklarını denetlemeyeceğini söylüyor. Siz bu konuda ne düşünüyorsunuz Hindi?

Öğleden sonra olduğu unutulmasın. Hindi kor haline gelmiş pirinçten kazan gibi oturmuştu, kel kafasından dumanlar çıkıyor, elleri mürekkep lekeli kâğıtları arasında dans ediyordu.

– Ne mi düşünüyorum? diye kükredi Hindi. Yanına gidip gözünü morartmayı düşünüyorum!

Bunu söylerken ayağa fırlayıp boksör gibi yumruklarını sıktı. Sözünü tutmak amacıyla harekete geçmişti ki, yemekten sonraki kavgacılığını düşüncesizce uyandırdığım için irkilip engelledim.

– Oturun yerinize Hindi, oturun da Cımbız'ın ne diyeceğini dinleyin. Siz ne düşünüyorsunuz Cımbız? Bartleby'yi hemen işten çıkarmak yerinde bir karar değil mi?

– Özür dilerim efendim, kararı vermek size düşer. Davranışının olağandışı ve doğrusunu söylemek gerekirse, Hindi'ye ve bana karşı haksızca olduğunu düşünüyorum. Ama belki de yalnızca bir kapristir.

– Yaa, demek birdenbire fikrinizi değiştirdiniz, diye

bağırdım, şimdi de onun hakkında çok kibarca konuşuyorsunuz.

– Hep biradan bunlar, diye haykırdı Hindi, kibarlığı biranın etkisi, öğleyin yemekte Cımbız'la beraberdik. Benim ne kadar kibar olduğumu görüyorsunuz efendim. Gidip gözünü morartayım mı?

– Bartleby'den söz ediyorsunuz sanırım. Hayır Hindi, bugün olmaz, diye yanıtladım, lütfen indirin yumruklarınızı.

Kapıları kapatıp yeniden Bartleby'ye doğru ilerledim. Beni kışkırtan başka dürtüler hissettim. Bartleby'nin bana başkaldırması için arzuyla yanıyordum. Yazıhaneden hiç çıkmadığı aklıma geldi.

– Bartleby, dedim, Zencefil dışarıda, bir zahmet postaneye kadar gidip (yürüyerek üç dakika uzaktaydı) benim için bir şey gelip gelmediğine bakar mısınız?

– Yapmamayı tercih ederim.

– Gitmeyecek misiniz?

– Yapmamayı tercih ederim.

Sersemleyerek masama gittim ve derin derin düşünceye daldım. Kör saplantım geri gelmişti. Bu beş para etmez yaratığın, ücretli memurumun aşağılık geri çevirmelerine bir kez daha nasıl katlanabilirdim? Reddedeceği kesin, son derece mantıklı başka neler olabilirdi?

– Bartleby!

Yanıt yok.

– Bartleby! daha yüksek sesle.

Yanıt yok.

– Bartleby! diye kükredim.

Büyücü dualarına boyun eğen bir hayalet gibi, üçüncü çağrıda, köşesinin eşiğinde belirdi.

– Yan odaya gidip Cımbız'a yanıma gelmesini söyleyin.

– Yapmamayı tercih ederim, dedi sakince ve saygıyla, sonra da yavaşça kayboldu.

Geri dönüşü olmayan ağır bir cezanın çok yakında olduğunu ima ederek "Anlaşıldı Bartleby," dedim kendine hâkim sakin bir ses tonuyla. O zaman daha kesin bir karara varmamıştım. Ama her şeyden sonra, yemek saatim yaklaşıyordu, yapılacak en iyi şeyin şapkamı alıp kafam karmakarışık ve sıkıntı dolu, eve kadar yürümek olduğunu düşündüm.

İtiraf edebilecek miyim? Bütün bu işin sonucunda, kısa zamandan sonra, yazıhanemde Bartleby adındaki solgun yüzlü, genç bir yazıcının bir masasının olması, sayfası dört sent (yüz sözcük) gibi sıradan bir ücretle benim için kopya yapması, ama kendi yaptığı işin denetimini sürekli reddetmesi, işin kuşkusuz daha zeki oldukları övgüsü ile Hindi'ye ve Cımbız'a devredilmesi, ayrıca Bartleby'nin en basit bir iş için bile hiçbir şartta dışarı çıkmamasının gerektiği, eğer böyle bir şeyi üzerine alması istenirse, "yapmamayı tercih edeceği"nin, yani kesinlikle reddedeceğinin genellikle bilinmesi alışılagelen bir olguya dönüşmüştü.

Günler geçtikçe, Bartleby'yle uzlaşmaya başladım. Özeni, tüm dağınıklıktan uzak oluşu, bitmez tükenmez çalışkanlığı (paravanın arkasında ayakta düş kurduğu zamanlar dışında), büyük durgunluğu, her durumda davranışlarındaki değişmezlik, onu değerli bir kazanç haline getirmişti. En önemli olan da her zaman orada bulunmasıydı, sabah ilk, gün boyunca sürekli, akşam da son olarak o vardı. Dürüstlüğüne sonsuz güveniyordum. En değerli evraklarımın elinde güvencede olduğuna inanıyordum. Bazen ona karşı hiçbir şekilde engelleyemediğim ani ve geçici bir öfkeye kapıldığımı saklayamayacağım. Bunun nedeni, Bartleby tarafından yazıhanede kalmak için söze başvurmadan şart koşulan şu garip özellikleri, görülmemiş ayrıcalıkları her dakika kafamdan uzak tutmanın hiç de kolay olmamasıydı. Arada bir, acele bir işi bir an önce bitirme arzusuyla, pek dikkat etmeden kısa ve keskin bir tonla Bartleby'yi çağırıp evrakları birbirine bağlamaya çalıştığım kırmızı düğümün köşesine parmağını basmasını isterdim. Tabii ki paravanın ardından bildik "yapmamayı tercih ederim" yanıtının geleceği su götürmezdi; işte o zaman, nasıl olur da doğamıza özgü olağan zayıflıktaki basit bir insan, böylesine sapkınlıklara, mantıksızlıklara karşı acıyla bağırıp çağırmaz? Buna karşın, her yeni geri çevrilme sonucunda, aynı dikkatsizliği yinelemem olasılığı azalıyordu.

Bu aşamada, çok kişinin çalıştığı binalarda yazıhanesi bulunan her hukuk adamının âdeti olduğu gibi, benim kapımın da birçok anahtarının bulunduğunu söylemem gerekiyor. Bunlardan biri, tavan arasında oturan, yazıhanemi haftada bir temizleyen, her gün de süpürüp tozunu alan kadındaydı. İkinci anahtar kolaylık olsun diye Hindi'deydi. Üçüncüyü bazen cebimde taşırdım. Dördüncünün ise kimde olduğunu bilmiyordum.

Bir pazar sabahı, ünlü bir vaizi dinlemek için Trinity Kilisesi'ne gideceğim tuttu, kiliseye biraz erken varınca, yazıhaneme kadar bir uzanmayı düşündüm. Şansıma anahtar cebimdeydi, ama kilide sokmaya çalışınca, içeriden bir şeyin karşı koyduğunu fark ettim. İyice şaşırıp seslendim, hayretime karşılık kilit içeriden açıldı: Solgun benizli yüzünü aralık kapıdan uzatan Bartleby göründü, üzerinde gömlek kollukları ve paçavraya dönüşmüş bir ev elbisesi vardı, hiç istifini bozmadan, kusura bakmamamı, şu anda çok meşgul olduğunu, içeri girmememi tercih ettiğini söyledi. Ayrıca bir iki sözcük daha ekleyip binaların çevresinde iki üç tur atmamı bu arada büyük olasılıkla işlerini bitirebileceğini belirtti.

Bir pazar sabahı yazıhanemde, her zamanki solgun ve kibar *soğukkanlılığı* ile hiç beklenmedik bir şekilde Bartleby'nin belirmesi, yine kesin ve kendine hâkim oluşu üzerimde öyle garip bir etki yaptı ki, kendimi tutamayıp kaçar gibi kendi kapımdan uzaklaşarak, isteğine boyun eğdim. Ama içimde bu anlaşılmaz yazıcının yumuşak yüzsüzlüğüne karşı aciz bir başkaldırının sancısını da duymadım değil. Doğrusu beni aciz bırakan, hatta iyice gevşek kılan en önemli şey bu olağandışı yumuşaklığıydı. Kendi ücretli memurunun ne yapması gerektiğini söylemesine ve kendi işyerinden uzaklaşmasını buyurmasına izin veren adama, ben gevşek adam gözüyle bakarım. Ayrıca Bartleby'nin bir pazar sabahı, gömlek kolluklarının dışında iyice dağınık bir halde yazıhanemde ne yapıyor olabileceği düşüncesi beni rahatsız etmişti. Karanlık birşeyler mi dönüyordu? Hayır, bu mümkün değildi. Bartleby'nin ahlaksız biri olduğunu asla düşünmezdim. Peki ne yapıyor olabilirdi? Yazı mı yazıyordu? Hayır, bu da olamazdı, ne kadar tuhaf olursa olsun, Bartleby çok seçkin ve âdetlere uygun biriydi. Masasına çıplaklığa yakın bir durumda oturacak son kişi oydu. Üstüne, pazar günüydü, Bartleby'de saygısız bir uğraşla günün kutsallığını bozduğunu düşünmeyi önleyen bir şey vardı.

Yine de aklım dinmez bir merakla doluydu ve bir türlü rahata kavuşmuyordu, sonunda kapıya döndüm. Hiçbir engelle karşılaşmadan anahtarımı kilide soktum, kapıyı açtım ve içeri girdim. Bartleby ortalıklarda yoktu. Endişeyle çevreye baktım, paravanın arkasına göz attım, ama gittiği açıktı. Yeri daha yakından inceleyince, Bartleby'nin bir süredir yazıhanemde yediği, giyindiği ve uyuduğu, bunları da tabak, ayna ve yatak kullanmadan yaptığı sonucuna vardım. Bir köşedeki yastıklı eski divan, üzerine uzanıldığı izlenimi veriyordu. Masasının altında top edilmiş bir battaniye, şöminenin kullanılmayan ızgarası üstünde bir kutu cila ve ayakkabı fırçası, sandalyelerden birinin üstünde teneke leğen, sabun ve yırtık bir havlu, gazeteye sarılmış zencefilli çörek kırıntıları ve bir peynir parçası buldum. Evet, Bartleby burasını evine çevirmiş, bütün alanı tek başına bekâr evi olarak kullanıyordu. Hemen ardından bir düşünce geçti kafamdan: Sefil bir yalnızlığın, terk edilmişliğin belirgin izlerini görmek mümkün burada! Yoksulluğu çok büyüktü, ama yalnızlığı çok daha korkunçtu! Bir düşünün! Pazar günü Wall Street, Petra* kadar ıssızdır, her günün gecesi bomboştur. Bu bina da, haftaarası iş ve yaşamla kaynasa da, gece bastığında içinde tam bir boşluk yankılanır, pazar günleri de hepten terk edilmiştir. İşte bu yeri Bartleby yuvası yapıyordu, yoğun kalabalığını görmüş olduğu bir yalnızlığın

---

(*) Petra (kaya) Eski Arabistan, M.Ö. 6. yüzyıl – M.S. 12. yüzyıl arasında Nabatilerin başkentiydi. Şimdi Ürdün sınırları içindedir. Kayalara oyulmuş tapınak kalıntılarıyla bilinir.

tek seyircisi – Kartaca'nın yıkıntıları arasında kara düşüncelere dalmış yeni ve masum bir Marius!*

Yaşamımda ilk kez, çok güçlü, içimi sızlatan bir melankoli sardı beni. Daha önce, sevimsiz olduğu söylenemeyecek üzüntüden başka bir şey tatmamıştım. Ortak insanlık bağları şimdi bana kasvet veriyordu. Kardeşçe melankoli! Bartleby de ben de Adem'in çocuklarıydık. Aynı gün gördüğüm, bayram elbiselerine bürünmüş Broadway'deki Mississippi'den aşağı kuğular gibi süzülen parlak ipekleri, ışıldayan yüzleri anımsadım. Silik kâtiple karşılaştırdım ve kendimi düşündüm. Ah, mutluluk ışıkla flört ediyor, biz dünyayı neşe içinde sanıyoruz, ama sefalet uzakta saklanıyor, biz olmadığını sanıyoruz. Bu acı düşler – kuşkusuz hasta ve aptal beynin kuruntuları, birbiri içine yenilerini doğuruyorlar, Bartleby'nin gariplikerine benziyorlar. Karanlık önseziler çevremi sarıyordu. Kaygısız yabancılar arasında, solgun yazıcının tüyler ürpertici kefeni gözümde canlandı.

Birden ilgimi Bartleby'nin masasının kapalı çekmecesi çekti, anahtar üzerindeydi.

Kötü bir niyetimin olmadığını, yalnızca saçma bir merakı tatmin etmeyi amaçladığımı düşündüm, ayrıca masa da benimdi, içindekiler de, gidip içine bakmak yürekliliğini gösterecektim. Her şey düzene konmuştu, kâğıtlar özenle yerleştirilmişti. Çekmeceler derindi, dosyaların yerini değiştirerek elimle en dip köşeleri yokladım. Bir şeyi hissedince çekip çıkardım. Dört ucu

---

(*) Marius Caius (M.Ö. 157-86) Romalı general ve siyaset adamı, Nubyenler (Sudan-Mısır) kralı Yugurta'yı yenmiştir. Kendine karşı düzenlenen bütün komplolardan kurtulmuş, sefahatten ölmüştür.

düğümlenmiş ağır, benekli bir mendildi. Açtım, biriktirdiği paralar vardı.

O anda, adamda gözlediğim sessiz sırları aklıma geldi. Yanıtlamanın dışında asla konuşmadığını, aralarda kendisine ayırabileceği oldukça zaman olmasına karşın, gazete bile okuduğunu görmediğimi, paravanın ardında dikilip saatlerce cansız tuğla duvarı gören soluk penceresinden dışarı baktığını anımsadım. Hiçbir zaman bir kantine ya da aşevine uğramadığından emindim, yüzünün soluklığından Hindi gibi bira ya da öteki insanlar gibi çay ve kahve bile içmediği açıkça belli oluyordu, hiçbir yere gitmediğinden, hatta şimdiki gibi zorunlu olmadıkça yürüyüşe bile çıkmadığından emindim, kim olduğunu nereden geldiğini, yakınlarının olup olmadığını bana söylemeyi reddetmişti, zayıflığına ve solgunluğuna karşın, sağlığının yerinde olmadığından asla yakınmamıştı. Özellikle soluk, nasıl desem soluk bir kibrin bilinçsiz havasını veya sert bir kayıtsızlığını diyelim, anımsadım. İşte bu yüzden bütün tuhaflıklarına katlanmış, uzun süren hareketsizliği sonucunda, paravanın ardında kör duvara karşı dalıp gittiğini düşünmeme karşın, en basit bir iş bile istemeye yanaşamamıştım.

Bunları kafamdan geçirip kısa zaman önce anladığım, işyerimi barınağı ve evi yaptığı gerçeği ve unutamadığım ürkütücü karamsarlığıyla bağdaştırınca, dikkatli olmam gerektiği fikrine kapıldım. İlk duyduklarım saf bir melankoli ve içten bir acımaydı, ama Bartleby'nin boş vermişliği zihnimde dallanıp budaklandıkça melankolinin yerini korku, acımanın yerini ise tiksinti aldı. Acıyı görme veya düşünmenin bir noktaya kadar bizi etkilediği çok doğrudur, ayrıca korkunçtur da, ama bu noktanın ötesinde etkisini kaybeder. Bunu insan yüreğinin bencilliğine yıkanlar yanılgıya düşmüş olurlar. Duygu, ölçüsüz bir uzvi hastalığa çare bulamama umutsuzluğundan kaynaklanır. Duyarlı biri için, merhametin acı vermesi oldukça sık rastlanan bir olgudur. Acımanın bir yarar sağlamadığı kesinlikle algılandığında da, sağduyu ruha bu duyguyu başından atıp kurtulmasını buyurur. Bu sabah gördüklerim, beni yazıcının doğuştan ve şifa bulmaz bir hastalığın kurbanı olduğuna inandırmıştı. Gövdesi için yardımda bulunabilirdim, ama ona acı veren gövdesi değildi, ruhundan çekiyordu ve ruhuna ben ulaşamıyordum.

O sabah, Trinity Kilisesi'ne gitmekten vazgeçtim. Sanki gördüklerim, benim şimdilik kiliseye gitmeme olanak vermiyordu. Bartleby ile ne yapacağımı düşünerek gerisin geri evin yolunu tuttum. Sonunda, ertesi gün sakin sakin ona geçmişi ile ilgili falan sorular sormaya, eğer açıkça ve çekinmeden yanıtlamaktan kaçınırsa (yapmamayı tercih edeceğini sanıyordum), hakkı olanın üstüne, eline bir yirmi dolarlık sıkıştırıp artık hizmetine gereksinim duymadığımı, ama kendisi için yapabileceğim bir şey varsa mutluluk duyacağımı, özellikle neresi olursa olsun memleketine dönmeyi arzu ederse, bütün giderlerini üstleneceğimi söylemeye karar verdim. Ayrıca memleketine vardığında, yardım gerekirse, mektubu karşılıksız kalmayacaktı.

Ertesi gün oldu.

— Bartleby, diye bölmesinin ardından kibarca çağırdım. Yanıt yoktu.

— Bartleby, dedim daha tatlı bir ses tonuyla, gelin buraya, yapmamayı tercih edeceğiniz bir şeyi yapmanızı istemeyeceğim. Yalnızca sizinle konuşmak istiyorum.

Bunun üzerine sessizce yanıma doğru süzüldü.

– Nerede doğduğunuzu söyler misiniz bana?

– Yapmamayı tercih ederim.

– Kendinizle ilgili ne olursa olsun herhangi bir şey anlatır mısınız?

– Yapmamayı tercih ederim.

– Peki sizi benimle konuşmaktan alıkoyan mantıklı ne gibi bir neden olabilir? Kendimi dostunuz sayıyordum.

Ben konuşurken bana bakmıyor, gözlerini inatla koltuğun arkasında, başımın altı karış üzerinde bulunan Cicero büstüne dikiyordu.

Soluk dudaklarının belirsiz titremesi dışında, çehresinin hiç kımıldamadığı uzunca bir boş bekleyişten sonra yine sordum:

– Nedir yanıtınız Bartleby?

– Şimdilik yanıt vermemeyi tercih ederim, deyip köşesine çekildi.

Benim zayıflığım olduğunu itiraf ederim, ama bu durumda davranışları beni kızdırdı. Yalnızca sessiz bir küçümsemeyi içermiyorlardı, yazıcıya göstermiş olduğum iyi niyet ve hoşgörü göz önüne alınırsa, ahlaksızlığı nankörlük gibi geliyordu.

Yeniden oturup ne yapmam gerektiği konusunda düşünceye daldım. Davranışı yüzünden küçük düşmüştüm, yazıhaneye geldiğim zamanki gibi hemen yol vermeye de kararlıydım, ama gelin görün ki içimden boş inançlı bir ses yüreğime vurup insan cinsinin en yalnız örneğine ters bir söz edersem, alçağın teki olacağımı söyleyerek beni suçluyor ve kararımı uygulamamı yasaklıyordu. Sonunda sandalyemi arkadaşça paravanın arkasına çekip oturdum.

– Bartleby, dedim, bırakın bir yana öykünüzü anlatmayı, ama bir dost olarak, hiç olmazsa elinizden geldiğince bu yazıhanenin kurallarına uymanızı rica etmeme izin verin. Şimdi söyleyin bana, yarın ya da öbür gün evrakları karşılaştırmama yardım edeceksiniz, kısaca bir iki gün içinde biraz daha mantıklı olacaksınız, değil mi, Bartleby?

– Şimdilik biraz daha mantıklı olmamayı tercih ederim, diye karşılık verdi, pörsümüş tatlı bir sesle.

Tam o sırada, kapının iki kanadı açıldı ve Cımbız yaklaştı. Her zamankinden beter bir hazımsızlık yüzünden uykusuz bir gece geçirmişe benziyordu. Bartleby'nin son sözlerine kulak misafiri olmuştu.

– Yapmamayı tercih edermiş, ha? diye diş gıcırdattı Cımbız. Bana dönerek, sizin yerinizde olsaydım, gösterirdim ona neyi tercih ettiğimi, tercihlerimi bir güzel anlatırdım bu kaz kafalıya! Lütfen efendim söyleyin, neymiş bu sefer yapmamayı tercih ettiği? dedi.

Bartleby kılını bile kıpırdatmadı.

– Cımbız Bey, şimdi çekilmenizi tercih ederim.

Bir süredir elimde olmadan, olur olmaz "tercih" sözünü kullanma alışkanlığı edinmiştim. Yazıcıyla olan ilişkimin şimdiden önemli bir şekilde zihnimi etkilemesi fikri beni ürkütüyordu. Bu sonradan daha derin bir sapıklığın ortaya çıkmasını kışkırtmaz mıydı? Bu endişe, köklü çözümler bulma kararlılığıma etki etmiyor da değildi.

Cımbız huysuzlaşarak ve somurtarak çıkarken, Hindi yumuşak ve saygılı bir havayla yaklaştı.

– İzninizle efendim, dedi, dün Bartleby hakkında düşünüyordum, kendi kendime, her gün bir litre esaslı bir bira içmeyi tercih etse, bunun yola gelmesinde işe yarayacağını, böylece evrakları gözden geçirmemize de yardım edeceğini söyleyip duruyordum.

– Demek sözcük size de bulaştı, dedim biraz heyecanla.

– İzninizle efendim, hangi sözcük? diye sordu Hindi. Bunu derken saygıyla daha da yaklaşıp paravanın ardında zaten daracık olan boşluğu iyice sıkıştırdı, beni de yazıcıya doğru iteledi. Hangi sözcük efendim?

– Burada yalnız kalmayı tercih ederim, dedi Bartleby, başına üşüşüp özel yaşamını bozmuşuz gibi.

– İşte bu sözcük Hindi, dedim, bu sözcük.

– Ha! Tercih mi? Doğru, tuhaf bir sözcük. Aslında ben hiç kullanmam. Ama size söylediğim gibi, eğer tercih etseydi...

– Hindi, diye kestim sözünü, çıkar mısınız lütfen.

– Hayhay efendim, siz öyle tercih ediyorsanız, hemen efendim.

Çıkmak için kapının kanatlarını açtığında, Cımbız beni fark edip elindeki bir evrakın mavi bir kâğıda mı yoksa beyaz bir kâğıda mı yazılmasını tercih ettiğimi sordu. Sesinden, tercih sözcüğünde özellikle durduğunu belirten en ufak bir şey yoktu. Elinde olmadan dilinin sürçtüğü açıktı. Bir dereceye kadar benim ve yardımcılarımın kafamızı değilse de, dillerimizi saptıran bu kaçıktan bir an önce kurtulmak gerektiğini düşündüm kendi kendime. Ama işten çıkardığımı hemen bildirmemeyi daha akıllı buldum.

Ertesi gün, Bartleby'nin penceresinde dikilip kör duvar düşlerine dalmaktan başka bir şey yapmadığını gözledim. Neden yazmadığını sorduğumda, artık yazmamaya karar verdiğini söyledi.

– Neden? Ne demek oluyor? Daha neler? diye bağırdım. Artık yazmamak da ne demek?

– Yeter.

– Peki nedeni nedir?

– Nedenini görmüyor musunuz? diye ilgisizce karşılık verdi.

Dikkatle yüzüne baktım ve gözlerinin donuk ve cam gibi olduğunu fark ettim. İlk aklıma gelen, yanımda çalıştığı ilk birkaç hafta içinde loş penceresinden gelen ışıkta gösterdiği benzersiz çalışkanlığın gözlerini bozduğu oldu. Bu da bana dokundu. Üzüldüğümü belirttim. Bir süre yazı yazmaktan uzaklaşmasının doğal olduğunu, bu fırsattan yararlanıp açık havada idman yapmasını önerdim. Hiçbir şey yapmadı haliyle. Olaydan birkaç gün sonra, öteki yardımcılarımın olmadığı ve bazı mektupları postalamak için acele ettiğim bir sıra, yapacak başka işi olmadığından Bartleby'nin daha esnek davranacağını sanarak, mektupları postaneye götüreceğini düşündüm. Kesinlikle reddetti. Böylece her ne kadar işime gelmiyorsa da, kendim gittim.

Günler geçti. Bartleby'nin gözleri düzeldi mi, bilemem. Göründüğü kadarıyla iyileşmişti. Ama nasıl olduğunu sorduğumda, yanıt verme lütfunda bulunmadı. Ne olursa olsun hiçbir şey yazmıyordu. Sonunda sıkıştırmalarıma karşılık olarak, yazı yazmaktan bütünüyle vazgeçtiğini bildirdi.

– Ne! diye haykırdım, gözlerinin her zamankinden

daha iyi olduğunu varsayalım. O zaman da yazmayacak mısınız?

– Yazmaktan vazgeçtim, diye geçiştirdi.

Her zamanki gibi, demirbaş olarak yazıhanemde kaldı. Doğrusu, sanki mümkünmüş gibi, eskisinden daha da demirbaş oldu. Ne yapmalıydı? Yazıhanede hiçbir şey yapmayacaktı, öyleyse neden kalması gerekiyordu? İşin gerçeği, artık bana ayak bağı oluyordu, bir gerdanlık gibi yararsızlığı bir yana, taşıması da ağır geliyordu. Buna karşı, adama acıyordum. Onun adına endişelendiğimi söylersem, bu gerçeğin yalnız bir parçası olur. Yalnızca bir yakınının ya da dostunun adını verseydi, hemen yazar, zavallı adamı bir an önce alıp uygun bir yere götürmeleri için zorlardım. Ama yalnız, bütün evrende yapayalnız görünüyordu. Atlantik Okyanusu'nun ortasında yitik bir enkaz. Bir süre sonra, işlerimin zalim gerekleri, başka her şeye gösterdiğim ilgiye üstün geldi.

Elimden geldiğince incelikle, Bartleby'ye altı gün içinde yazıhaneyi kesinlikle terk etmesi gerektiğini anlattım. Bu arada kendisine başka bir barınak edinmesi için uyardım. Taşınmak için ilk adımı atarsa, çabasında yardımcı olmayı da önerdim.

– Yanımdan ayrılırken Bartleby, diye ekledim, eliniz boş gitmemenize özen göstereceğim. Şu andan itibaren altı gün, unutmayın.

Bu sürenin bitiminde, paravanın ardına göz attığımda bir de ne göreyim? Bartleby hâlâ oradaydı. Ceketimi ilikleyip doğruldum, yavaşça yanına sokulup omzuna dokundum:

– Buradan ayrılma zamanınız geldi, dedim. Üzgünüm, işte paranız, artık gitmeniz gerek.

– Yapmamayı tercih ederim, dedi sırtı hâlâ bana dönük.

– Yapmalısınız.

Ses çıkarmadı.

Adamın dürüstlüğüne sonsuz güvenim vardı. Şaşkınlıkla yere düşürdüğüm bozuklukları sık sık bana geri vermişti – böyle önemsiz şeylere pek aldırış etmediğim doğrudur. Bu nedenle sonraki gelişmeler olağandışı sayılmaz.

– Bartleby, dedim. Size olan borcum on iki dolar, işte otuz iki dolar, geriye kalan yirmisi sizin. Alacak mısınız? Banknotları ona doğru uzattım.

Kılını bile kıpırdatmadı.

Paraları masadaki kâğıt ağırlığının altına koydum.

– Öyleyse buraya bırakıyorum, dedim.

Sonra şapkamı ve bastonumu alıp kapıya yönelirken sakin sakin dönerek ekledim:

– Eşyalarınızı topladıktan sonra kapıyı kilitlemeyi unutmazsınız değil mi? Biliyorsunuz sizden başka herkes çıktı, ayrıca lütfen anahtarı paspasın altına bırakın ki sabah alabileyim. Sizi bir daha görmeyeceğim, haydi hoşçakalın. Olur da yeni yerinizde size yardımım dokunacağını düşünürseniz, sakın iki kelime bir şey yazmamazlık etmeyin. Hoşçakalın Bartleby, kendinize iyi bakın.

Hiçbir karşılık vermedi. Issız odanın ortasında, yıkık bir tapınağın son sütunu gibi sessiz ve tek başına dikilmeyi sürdürdü.

Düşünceli adımlarla eve dönerken, kibrim acıma duygumu bastırmıştı. Bartleby'den kurtulmak için gösterdiğim ustaca beceriden dolayı böbürlenmeden dura-

44

mıyordum. Ustaca diyorum, sanırım aklı başında olan tarafsız herkes de bu kanıda olacaktır. Bana göre yöntemimin güzelliği yalınlığından kaynaklanıyordu. Ne kabaca bir zorbalık, ne atışma, ne öfkeli bir terslenme, ne itişip kakışma ne de Bartleby'ye tasını tarağını toplaması ve basıp gitmesi için buyruklar, tatsız hiçbir şey geçmemişti. Bartleby'ye bağırmaksızın –kafası pek basmayan biri olsa öyle yapardı– ayrılmasının gerektiği gerçeğini varsaymıştım ve ağzımdan çıkan her şeyi bu varsayım üzerine kurmuştum. Yaptığımı düşündükçe, daha da zevkleniyordum. Yine de ertesi sabah uyanınca kuşkulanmaya başlamıştım, sanki uyku kibrin dumanlarını dağıtmıştı. İnsanın en dingin ve bilge olduğu saatlerden biri de sabah uyandıktan sonrasıdır. Yöntemim hâlâ akıllıca gibi görünüyordu – ama yalnız kuramsal olarak. Uygulamada ne sonuç vereceğine gelince, işte burada bir pürüz vardı. Bartleby'nin gitmiş olduğunu varsayma düşüncesi gerçekten güzeldi, ama bu hiç de Bartleby'nin varsayımı değildi, yalnızca benimkiydi. İşin can alıcı noktası, beni terk edeceğini varsaymam değil, onun böylesini tercih edip etmeyeceğiydi. Ne de olsa varsayımlardan çok tercihlerin adamıydı.

Kahvaltıdan sonra, kendi kendime lehte ve aleyhte olasılıkları tartışarak şehir merkezine yürüdüm. Bir an korkunç bir yenilgiye uğradığımı, yazıhanemde her zamanki gibi Bartleby'yi etten kemikten bulacağımı düşünüyordum, hemen ardından da masasının boş olacağına kesin gözüyle bakıyordum. Kararsızca dolanıp durdum. Broadway ile Kanal Caddesi'nin kesiştiği köşede, hararetle tartışan heyecanlı bir topluluğa denk geldim.

– Yapmayacağına bahse girerim, dedi bir ses ben geçerken.

– Gitmeyeceğine mi? Tamam, gördüm! Çıkar paraları! deyiverdim.

İçgüdüsel olarak kendi paramı çıkarmak için elimi cebime atarken, o günün seçim günü olduğunu anımsadım. Duyduğum sözcüklerin Bartleby'yle ilgisi yoktu, konu adaylardan birinin belediye başkanı seçilmeyi başarıp başaramayacağıydı. Kafam karmakarışık olduğundan, bütün Broadway'in sıkıntımı paylaştığını, aynı sorunu tartıştığını sanmıştım. Sokaktaki kargaşanın anlık dalgınlığımı örtmesine sevinerek geçip gittim.

Amaçladığım gibi, yazıhanemin kapısına her zamankinden erken vardım. Bir süre kulak kabarttım. Her şey sakindi. Gitmiş olmalıydı. Tokmağı denedim, kapı kilitliydi. Düzenim tıkır tıkır işlemişti, gerçekten de kaybolmuştu. Doğrusu sevincime biraz da melankoli karışmıştı: Hani neredeyse bu parlak başarıya üzülecektim. El yordamıyla paspasın altında Bartleby'nin bırakmış olması gereken anahtarı aranıyordum ki, dizim kazayla kapı aynalığına çarptı ve güçlü bir ses çıkardı, yanıt olarak içeriden bir ses geldi:

– Şimdi olmaz, işim var.

Bartleby'nin sesiydi.

Yıldırım çarpmışa döndüm. Uzun zaman önce Virginia'da, bulutsuz bir yaz günü öğleden sonra, ağzında piposu, açık penceresinin önünde otururken yıldırımın çarpmasıyla ölen, biri sırtına dokunup da yere yuvarlanıncaya kadar da düş gibi öğle sonrasında öylece kalakalan adam gibi taş kesildim.

– Gitmemiş, diye mırıldanabildim sonunda. Anlaşılmaz yazıcının üzerimdeki büyüsel hükmüne, bütün yırtınmalarıma karşın, tümüyle kurtulmamın mümkün olmadığı hükme boyun eğerek, yavaşça merdivenleri indim ve sokağa çıktım. Çevrede dolaşırken bu duyulmamış durumda ne yapmanın uygun düşeceğini kuruyordum. Adamı zorla dışarı atmak, yapamazdım, söve saya kovmak da "daha iyi" değildi, polisi çağırma düşüncesi sevimsizdi, oysa adamın ruhsuz zaferinin keyfini sürmesine ses çıkarmama düşüncesine bile yanaşamazdım. Ne yapılmalıydı? Ya da yapılacak bir şey yoksa bu konuda, başka ne varsayabilirdim? Evet, önce ileriye yönelik Bartleby'nin gideceğini varsaymıştım, şimdi ise geriye yönelik gitmiş olduğunu varsayabilirdim. Bu varsayıma uygun davranmaya başlarsam, rüzgâr gibi yazıhaneye girip Bartleby'yi görmezlikten gelerek, sanki yokmuş gibi üstüne yürüyebilirdim. Bu yöntem hedefe tam isabet edebilirdi. Bartleby'nin varsayımlar öğretisinin böylesine bir uygulamasına karşı koyabilmesi oldukça güçtü. Ama iyice düşününce, düzenin başarıya ulaşması epey kuşkuluydu. Konuyu onunla yeniden tartışmakta karar kıldım.

– Bartleby, dedim sakin sert bir ifadeyle yazıhaneme girerek. Çok bozuldum size, canımı sıktınız, Bartleby. Sizden bunu beklemezdim. Daha duyarlı bir kişi olduğunuzu, karmaşık bir ikilemde, tek hatırlatmanın yeterli olacağını sanmıştım, kısaca bir varsayımdı. Ama yanıldığım ortaya çıktı.

Yapmacıksız bir irkilmeyle, elimde önceki akşam parayı bıraktığım yeri göstererek ekledim:

– Neden hâlâ bıraktığım paraya dokunmadınız bile? Yanıt vermedi.

Birden öfkeye kapılarak, üzerine yürüdüm.

– Beni terk edecek misiniz? Evet mi, hayır mı?

– Sizi terk etmemeyi tercih ederim, dedi etmeme sözünü vurgulayarak.

– Burada kalmaya ne hakkınız var? Kirayı mı ödüyorsunuz? Vergilerimi mi ödüyorsunuz? Yoksa buranın sahibi siz misiniz?

Yanıt vermedi.

– Yeniden yazmaya hazır mısınız? Gözleriniz düzeldi mi? Kısa bir evrakı temize çeker misiniz bu sabah? Ya birkaç satırı gözden geçirmeme yardım eder misiniz? Ya da postaneye gider misiniz? Kısaca, işyerimi terk etmeyi reddetmenizi haklı gösterecek herhangi bir şey yapmayı kabul ediyor musunuz?

Sessizce köşesine çekildi.

Sinirlerim öylesine gerilmişti, öyle içerlemiştim ki, kendimi toparlayana dek yeni bir gösteriye girişmemenin yerinde olduğuna karar verdim. Yazıhanede Bartleby ile yalnızdık. Bahtsız Adams ile daha bahtsız Colt'un başına gelen faciayı,* yazıhanesinde Adams tarafından şiddetle hakarete uğrayan zavallı Colt'un, kendini sakınmadan çılgınca öfkeye kaptırarak, gözleri kararıp ölümcül eyleme sürüklendiğini anımsadım —kimsenin suçu işleyen kadar yanmayacağı bir eylem— olay hakkında kafa patlattığımda sık sık, eğer kavga ana caddede veya evde çıksaydı, böyle bitmezdi diye

---

(*) John C. Colt 1842 Ocağı'nda New York City'de Samuel Adams'ı öldürmüş ve idama mahkûm edilmiştir. İnfaz günü Caroline Henshaw ile evlenmiş, karısıyla çekildikleri odada göğsünde hançerle ölü bulunmuştur. Mahkeme intihar kararı verip, karısını cezalandırmamıştır. Melville'in çok ilgilendiği bir olaydır, aynı zamanda Pierre'de de söz eder.

düşünmüştüm. Bahtsız Colt'un umutsuzca öfkesinin artmasında, insanların yaşamından yoksun bir binanın üst katında, halısız tozlu, yıldırıcı görünümlü işsiz bir yazıhanedeki yalnızlığının büyük katkısı olduğu su götürmezdi.

Ama eskil Adem kızgınlığı içimi kaplayıp beni baştan çıkarınca, Bartleby'nin yakasına yapışıp yere savurdum. Nasıl mı? Yalnızca Tanrısal öğüdü anımsayarak: "Size birbirinizi seviniz diye, yeni bir emir veriyorum."* Evet, beni işte bu kurtardı. Merhametin değerlerinden biri de genellikle çok bilge ve sakınımlı bir ilke olarak işlemesidir ve sahibine büyük bir güven verir. İnsanlar kıskançlık uğruna, öfke uğruna, kin uğruna, bencillik uğruna, kutsal kibir uğruna cinayet işlemişlerdir, ama tatlı merhamet uğruna şeytani bir cinayet işleyenini hiç duymadım. Daha iyi bir gerekçe bulunamazsa insanlar özellikle en sinirli olanları, yardımseverliğe ve insan severliğe iten tek güdü yalnızca kişisel bir çıkar olmalıdır. Bu durumda, yazıcıya duyduğum öfkeyi ne olursa olsun davranışını iyi yüreklilikle anlamaya çalışarak bastırmaya çabalıyordum. Zavallı adam, zavallı adamcağız, kötü bir amacı yok, ayrıca çok zor günler geçirmiş, hoşgörülü olmak gerekiyor, diye düşünüyordum.

Sıkıntımı dağıtabilmek amacıyla kendime bir uğraş bulmaya çalıştım. Bartleby'nin öğleden önce hoşuna gidecek bir zamanda, kendi isteğiyle, köşesinden çıkıp, kararlı adımlarla kapıya yöneleceğini kurmaya çalıştım. Boşuna. Saat yarım oldu, Hindi'nin yüzü hara-

---

(*) İncil - Yuhanna 13, Ayet 34.

retlenmeye başladı, mürekkep hokkasını devirdi, genel yaygaracılığı baş gösterdi; Cımbız sessiz ve saygılı haline döndü; Zencefil öğle elmasını şapırdatarak yedi; Bartleby de penceresinde dikilip en derin kör duvar düşlerini sürdürdü. İnanır mısınız? İtiraf etmeli miyim? O gün öğleden sonra, adama tek söz daha etmeden, yazıhaneden ayrıldım.

Boş zamanlarımda Edwards'ın İstem* ve Priestley'in Zorunluluk** hakkındaki kitaplarını karıştırdığım birkaç gün geçti. Bu koşullarda kitapların üzerimde yararlı etkisi oldu. Yavaş yavaş, yazıcıyla olan sorunlarımın öbür dünyadan gelen bir yazgı olduğu, Bartleby'nin bana Yüce Tanrı tarafından, benim gibi bir ölümlünün anlayamayacağı gizemli bir amaçla gönderildiği inancına vardım. Peki Bartleby, kal paravanın ardında, artık sana işkence etmeyeceğim, şu eski sandalyeler kadar zararsız ve sessizsin, kısaca kendimi hiç senin orada olduğunu bildiğim zamanki kadar yalnız hissetmiyorum, diye düşündüm. Neyse ki görüyorum, duyuyorum, yaşamımın alnıma yazılmış nedenini kavrıyorum. Hoşnutum. Başkalarının işlevleri daha yüce de olsa, bu dünyada benim görevim Bartleby, kalmayı uygun gördüğün sürece sana bir yazıhane sağlamaktır.

İşyerime beni görmeye gelen meslektaşlarımın yersiz, kırıcı uyarıları olmasa, sanıyorum bu bilge ve kut-

---

(*) Jonathan Edwards – Ahlak, erdem ve bilgelik için zaruri olması gereken, çağdaş ve hâkim "irade özgürlüğü" kavramı üzerine dikkatli ve katı bir gönderme, ödül ve ceza, özgü ve suçlama (Boston, 1754).

(**) Joseph Priestley – Efendi ve Ruh ile ilgili makalelere bir ek olarak: Resimli *The Doctrine of Philosophical Necessity* (Londra, 1777).

sal ruh halim sürüp gidecekti. Genellikle, dar görüşlü kafalarla devamlı sürtünme, yüce gönüllü kişinin en yerinde kararlılığını bile aşındırır. Ama biraz düşününce, garip Bartleby'nin anlaşılmaz görünümünden çarpılan ziyaretçilerimin, hakkında uğursuz birkaç laf atmalarına şaşmamak gerek. Arada bir benimle olan işi için yazıhaneme gelen bir dava vekilinin yazıcıdan başka kimseyi görmeyip, nerede olduğum hakkında ondan açık bir bilgi almaya çalıştığında, Bartleby boşa konuşmasına hiç ilgi göstermeden odamın ortasında kımıldamadan dikiliyordu. Bu duruşunu bir süre gözleyen dava vekili, geldiği gibi çekip gidiyordu.

Ayrıca bir hakemlik nedeniyle, yazıhanemin hukukçular ve şahitlerle tıklım tıklım dolu olduğu bir sırada, işin ateşli anında, işi başından aşkın beylerden birinin Bartleby'yi işsiz güçsüz görüp kendi yazıhanesine kadar gidip, birkaç evrak getirmesini istemesi de rastlanan olaylardandı. Bartleby de sakince reddedip aylaklığını sürdürüyordu. Bunun üzerine avukatın gözleri faltaşı gibi açılıyor ve bana doğru dönüyordu. Ne diyebilirdim? Bir süre sonra, iş çevremde, yazıhanemde barındırdığım garip yaratık hakkında şaşkınlık fısıltılarının dolaştığını fark ettim. Bu da beni çok tasalandırdı. Aklıma ilk gelen, Bartleby'nin uzun zaman yaşayabileceği, işyerimde kalmayı sürdüreceği, etkimi temelinden sarsacağı, gelenleri utandıracağı, işimdeki itibarımı yıkacağı, yazıhaneye gölge düşüreceği; biriktirdiği para sayesinde (günde taş çatlasa yarım dime'den* fazla harcamadığı kesindi) sonuna dek ruhu gövdesinden

---

(*) Dime: ABD gümüş parası, on sent karşılığıdır.

ayrılmayacağı hatta benden daha uzun yaşayıp sürekli oturduğu için, yazıhanemde hak iddia edebileceği oldu. Bu kara düşünceler kafama doluştukça, dostlarım da yazıhanemdeki hayaletle ilgili bitmez tükenmez uyarılarında direndikçe, içimde büyük bir değişiklik oluştu. Bütün yetilerimi bir araya toplayıp, bu dayanılmaz karabasandan kurtulmaya karar verdim.

Bu amaca uygun karmaşık bir plan kurmadan önce, Bartleby'ye kesin gidişini önerdim. Sakin ve ciddi bir şekilde, bu fikri dikkatli ve olgun bir biçimde değerlendirmesine bıraktım. Üç günlük derin düşünce sonunda, ilk kararının değişmediğini bildirdi, yani benimle kalmayı tercih ediyordu.

Ne yapabilirim? diye sordum kendi kendime, ceketimin bütün düğmelerini ilikleyerek. Ne yapacağım? Ne yapmalıyım? Vicdanım bu adamla, daha doğrusu hortlakla ne yapmamı öğütlüyordu? Başımdan atmam, onun çekip gitmesi gerekiyordu. Ama nasıl? Bu zavallı, solgun, pasif ölümlüyü atmayacaktım ya, böyle savunmasız bir yaratığı kapıya koyamazsın ya! Bu denli acımasızlıkla onurunu lekeleyemezsin ya! Hayır, yapmayacağım, yapamam! Burada yaşayıp ölmesini, artıklarını da toplayıp duvar örmeyi yeğlerim. Peki o zaman ne yapacaksın? Ne kadar dil dökersen dök, yerinden oynamayacak. Verdiğin rüşvetleri, masanın üstündeki kâğıt ağırlığının altında bırakıyor, kısaca, sana yapışıp kalmayı tercih ediyor.

Öyleyse sert ve beklenmedik bir şey yapılmalı. Ya nasıl? Ne de olsa polisin ensesine yapışıp, masum solukluğunu hapse tıkmasına izin veremezsin. Üstelik böyle bir eylemi neye dayanarak yapacaksın? Serserinin teki mi? Ne! Kımıldamayı reddeden bir serseri, başıboş ha? Serseri olmak istemediği için, serseri olmasına çalışıyorsun. Çok saçma! Belirgin bir geçim yolu yok, işte şimdi elime geçti. Yine yanlış: Kendi geçimini sağladığı su götürmez, bir insan için geliri olduğunun çürütülmeyecek tek kanıtı bu. Yeter, eğer o beni terk etmek istemiyorsa, ben onu terk ederim. Yazıhanemi değiştireceğim, başka yere taşınacağım, onu da açıkça uyarıp yeni yerimde bir daha görürsem, mülke tecavüzden dava açacağımı söyleyeceğim. Uygulamaya geçip ertesi gün, ona şöyle dedim:

– İşyerinin belediyeye çok uzak olduğunu düşünüyorum, ayrıca havası da sağlığa zararlı. Kısaca, gelecek hafta yazıhanemi taşımaya karar verdim, sizin hizmetinize de gerek kalmıyor. Kendinize yeni bir yer bulmanız için şimdiden bunu size bildirmeyi uygun gördüm.

Yanıt vermedi, başka da bir şey konuşulmadı.

Belirlenen gün, araba ve adam tutup yeni yerime yerleşmeye başladım. Fazla eşyam olmadığından, birkaç saatte her şey bitti. Taşınma işlemi boyunca, yazıcı en son alınmasını söylediğim paravanın arkasında durdu. Paravan da kaldırılıp koca bir sayfa gibi katlanınca, onu çıplak bir odanın devinimsiz kiracısı gibi ortaya çıkardı. Bir süre girişte durup onu süzdüm ve içimi pişmanlık kapladı.

Elim cebimde, yüreğim ağzımda içeri girdim.

– Hoşçakal Bartleby, ben gidiyorum, hoşçakal, Tanrı sizi mutlu etsin, bunu da alın, deyip eline bir şey sıkıştırdım. Ama elinden yere düştü, ardından gariptir söylemesi, onca zaman başımdan atmak istediğim insandan kendimi güç kopardım.

Yeni yazıhaneme yerleştikten sonra bir iki gün kapıyı kilitli tuttum, aralıktaki her ayak sesinden irkildim. Kısa bir yokluktan sonra, yazıhaneye her dönüşümde bir an kapının eşiğinde durup anahtarı kilide sokmadan önce içeriye kulak kabartıyordum. Ama korkularım boş çıktı. Bartleby benim yakınlarıma asla uğramadı.

Her şeyin sona erdiğini sandığım bir sırada, huzursuz görünümlü bir yabancı beni görmeye gelip, Wall Street ... numaralı yerin eski kiracısı olup olmadığımı sordu.

Başıma gelecekleri seziyordum, aradığı kişinin ben olduğum karşılığını verdim.

– Öyleyse bayım, dedi sonradan hukukçu olduğu ortaya çıkan yabancı, orada bıraktığınız adamdan siz sorumlusunuz. Temize çekmeyi reddediyor, herhangi bir şey yapmayı reddediyor, yapmamayı tercih ettiğini söylüyor, işyerini terk etmeye de yanaşmıyor.

– Üzgünüm bayım, dedim yapmacık bir güvenle, için için titreyerek, ama anıştırma yaptığınız kişinin gerçekten benimle ilgisi yok, ne akrabamdır ne de çırağım, bu yüzden beni sorumlu tutamazsınız.

– Tanrı aşkına, kimin nesidir peki?

– Bu konuda sizi aydınlatamayacağım. Onunla ilgili hiçbir şey bilmiyorum. Yazıcı olarak işe almıştım, ama bir süredir benim işlerimi yapmıyor.

– Öyleyse adama yol vereceğim, iyi günler bayım.

Birkaç gün geçti, başkaca bir şey kulağıma gelmedi, her ne kadar sık sık yardımsever niyetle bir koşu gidip zavallı Bartleby'yi görmek istediysem de, ne olduğunu bilmediğim bir çekingenlik bana engel oldu.

Habersiz geçen bir haftadan sonra, bu sefer Bartleby'nin işi bitik diye düşündüm. Ama ertesi gün yazıhaneme geldiğimde, kapıda oldukça sinirli birkaç kişi beni bekliyordu.

– İşte o, geliyor, diye bağırdı başlarındaki. Daha önce tek başına gelen hukukçuyu tanıdım.

– Bir an önce alıp götürmelisiniz bayım, dedi aralarından heybetli bir kişi, bana doğru ilerleyerek, Wall Street ... numaranın mal sahibiydi. Kiracım olan bu beyler daha fazla dayanamıyorlar.

Hukukçuyu göstererek:

– Mr. B.... adamı kapıya koydu, şimdi de bütün binayı usandırıyor. Gündüzleri merdivenlerde oturuyor, geceleri de girişte uyuyor. Herkesin huzuru kaçtı, müşteriler yazıhaneleri terk ediyor, ayak takımının istilasından çekiniliyor, hiç zaman kaybetmeden birşeyler yapmalısınız.

Baskından sersemlemiştim, taşkınlığı karşısında geriledim. Yeni işyerime girip kapıyı arkamdan kilitleyebilmek için her şeyi verirdim. Bartleby'nin benimle onlarla olduğundan fazla bir ilgisi bulunmadığı konusunda boş yere üsteledim. Adamla en son işi olan kişi bendim, bu yüzden de yaman görev bana düşüyordu. Adımın gazetelere geçmesinden korktuğum için (orada bulunanlardan biri üstü kapalı gözdağı veriyordu) konuyu uzunlamasına tartıp, hukukçu bey kendi yazıhanesinde yazıcıyla özel bir görüşme ayarlayabilirse, hemen öğleden sonra elimden geleni yapacağımı, yakındıkları beladan onları kurtarmaya çalışacağımı bildirdim.

Eski işimin merdivenlerini çıkarken, Bartleby'yi sahanlığın korkuluğuna dayanmış oturur buldum.

– Ne yapıyorsunuz burada Bartleby? dedim.

– Sahanlıkta oturuyorum, dedi tatlı bir sesle.

Hukukçunun yazıhanesine girmeye razı ettim, adam bizi yalnız bıraktı.

– Bartleby, dedim, işyerinden çıkarıldıktan sonra girişi tutmakta ısrar etmenizin başıma ne büyük dert açtığından haberiniz var mı?

Yanıt yok.

– Şimdi iki olasılık kalıyor. Ya siz bir şey yapmalısınız ya da size bir şey yapılmalı. Nasıl bir işte çalışmak istersiniz? Birinin yanında yeniden yazıcılık yapmak ister misiniz?

– Hayır, değişmemeyi tercih ederim.

– Tuhafiyecide tezgâhtarlığa ne dersiniz?

– Orası çok kapalıdır. Hayır tezgâhtar olmak istemem, ama güç biri değilim.

– Çok mu kapalı? diye haykırdım, bütün zamanınızı kapalı yerde geçiren siz değil misiniz?

– Tezgâhtarlık yapmamayı tercih ederim, diye bağladı, ayrıntıyı hemen halletmek istermiş gibi.

– Ya barmenlik hoşunuza gider mi? Hem gözünüzü de yormaz.

– Bu hiç işime gelmez, ama dediğim gibi güç biri değilim.

Alışılmamış konuşkanlığı beni canlandırdı. Yeniden işe koyuldum.

– Öyleyse, bütün ülkede yolculuk edip tüccarların faturalarını tahsil eder misiniz? Sağlığınıza da iyi gelir üstelik.

– Hayır, başka bir şey yapmayı tercih ederim.

– Peki, iyi aileden genç bir beyle Avrupa'ya gitmeye, sohbetinizle ona yoldaşlık etmeye ne dersiniz?

– Yok bu olmaz. Ne yapacağımın belirli olmaması beni çekmiyor. Yerleşikliği seviyorum, ama güç biri değilim.

Sabrım tükenmişti, dayanılmaz ilişkimizin ta başından beri ilk kez gözüm dönmeye başlıyordu.

– Yerleşik olacaksınız öyleyse, diye bağırdım. Eğer bu geceden önce buradan uzağa gitmezseniz, üzülerek söylüyorum, o zaman, evet o zaman, ben, ben kendim çekip gideceğim.

Oldukça saçmalayarak noktalamıştım. Boyun eğip harekete geçmesini sağlamak için ne gibi bir tehditte bulunabileceğimi kestiremiyordum. Bütün uzlaşma umudumu yitirmiş, aceleyle gitmeye hazırlanırken, son bir düşünce aklıma geldi, bu düşünceye daha önce hiç değinmemiştim. Böyle gergin bir durumun izin verdiği en tatlı ses tonuyla:

– Bartleby, dedim, benimle gelir misiniz? İşyerime değil, evime. Size uygun bir çözüm buluncaya kadar da orada kalabilirsiniz. Hadi kalkın gidelim.

– Hayır şimdilik hiçbir değişiklik yapmamayı tercih ederim.

Karşılık vermedim, ama herkesi sıvışmamın aniliği ve çabukluğuyla şaşırtarak, kendimi binadan dışarı attım, Wall Street'i Broadway'e doğru koşarak katedip, ilk gelen otobüse atladım ve izimi kaybettirdim. Kendimi toplayınca, gerek malsahibi ve kiracıların isteklerini, gerek Bartleby'ye yardım edip şiddetle cezalandırılmasının önüne geçme dileğimi ve görev duygumu tatmin etmek için elimden gelen her şeyi yapmış olduğumu kesinlikle anladım. Aldırmazlığımı ve soğukkanlılığımı bulabilmeye çabalıyordum, vicdanım bu denemede beni destekliyordu, yine de arzu ettiğim gibi başarılı olamadım. Öfkeli mal sahibi ve kiracıların beni yeniden arayıp bulmasından öylesine korkuyordum ki, işimi birkaç günlüğüne Cımbız'a teslim ettim ve arabama atlayıp şehrin yukarı kısımlarını, dış mahallelerini gezdim, Jersey City'yi ve Hoboken'i katettim, Manhattanville ile Astoria'ya kaçamak ziyaretler yaptım. Doğrusunu söylemek gerekirse, birkaç gün arabamda yaşadım.

Yeniden yazıhaneme döndüğümde bir de ne göreyim, mal sahibinden bir mektup çalışma masamın üstünde duruyordu. Titreyen ellerle açtım. Polisi çağırdığını, onların da Bartleby'yi serseri diye Tombs'a götürdüklerini bildiriyordu. Ayrıca Bartleby'yi herkesten çok tanıdığım için, oraya kadar gitmemi ve ayrıntılarıyla olayları açıklamamı rica ediyordu. Haberlerin üzerimde ters bir etkisi oldu. İlkin kızdım, sonradan neredeyse onayladım. Mal sahibinin etkin ve özlü eğilimi benim tek başıma yapamayacağım köklü bir yöntemi benimsemesini sağlamıştı, bu da böylesine garip koşullarda en iyi çözüme benziyordu.

Sonradan öğrendiğime göre, Tombs'a götürülmesi gerektiği söylendiğinde, zavallı yazıcı hiç karşı koymamış, soluk ve devinimsiz haliyle sessizce kabullenmişti.

Çevredeki şefkatli ve meraklı seyircilerin bir kısmı da gruba katılmış, Bartleby'nin koluna giren polis memurlarından birine ayak uydurmuşlardı ve sessiz alay öğlenin gürültülü, sıcak ve neşeli anayollarından yürüyüp geçmişti.

Mektubu aldığım gün, Tombs'a, tabiri caizse tutukevine gittim. İlgili memuru çağırtıp, gelmemin amacını anlattım ve sözünü ettiğim kişinin içeride olduğunu öğrendim. Memura Bartleby'nin son derece dürüst ve sevgiye değer biri olduğunu, ama anlatılamayacak kadar tuhaf olduğunu açıkladım. Bütün bildiklerimi bir bir sayıp, hapisteki zamanı olabildiğince hafif geçirmesine titizlik gösterilmesini önerdim. Bu arada daha yumuşak bir çözüm bulunabilirdi, ama ne olabileceğini pek bilmiyordum. Her şartta, başka bir şey bulunmazsa, yoksullar yurduna yerleştirilmeliydi. Sonra Bartleby ile görüşmek istediğimi söyledim.

Ağır bir suçtan hükümlü olmadığından ve sakin, zararsız davranışlarından ötürü, tutukevinde, özellikle çimlerle kaplı iç avlularda özgürce gezinmesine izin vermişlerdi. İşte onu en boş avluda, yüzü duvara dönük tek başına dikilirken buldum. Çevresinde, hapishane pencerelerinin dar yarıklarından, sanki katiller ve hırsızlar onu gözleriyle dikkatle inceliyorlarmış gibi geldi bana.

– Bartleby!

– Sizi tanıyorum ve size söyleyecek hiçbir şeyim yok, dedi yüzünü çevirmeden.

– Sizi buraya kapattıran ben değilim, dedim kuşkulanmasına üzülerek. Ayrıca burası sizin için çok kötü bir yer olmayacak. Burada bulunmanızın aşağılayıcı bir yanı yok. Sanıldığı kadar kasvetli bir yer olmadığını da görüyorsunuz. Bakın, bir yanda gökyüzü, bir yanda çim var.

– Nerede olduğumu biliyorum, diye yanıtladı, başka da bir şey demediği için yanından ayrıldım.

Geçide girdiğimde önlüklü kocaman göbekli bir adam bana yanaştı, omzu üzerimden eliyle Bart-leby'yi göstererek sordu:

– Dostunuz mu?

– Evet.

– Açlıktan ölmek mi istiyor? İstiyorsa, bırakın hapishanede verilenle yetinsin.

– Kimsiniz siz? diye sordum, böylesine bir yerde böylesine damdan düşme konuşan biriyle ne yapacağımı kestiremeyerek.

– Ben yahniciyim. Burada dostları olan beyefendiler, yiyecek iyi birşeyler bulmak için beni tuttular.

– Öyle mi? dedim gardiyana dönerek.

O da doğruladı.

– Öyleyse, deyip yahnicinin (adama böyle diyorlardı) eline biraz gümüş para tutuşturdum, oradaki dostuma özel ilgi göstermenizi istiyorum, bulabileceğinizin en iyisini hazırlayın. Ayrıca ona mümkün olduğu kadar saygılı davranın.

– Beni tanıştırır mısınız? dedi yahnici, terbiyesini gösterme sabırsızlığı içindeki bir adam havasıyla.

Yazıcının yararlanabileceği düşüncesiyle kabul ettim; yahnicinin adını sorduktan sonra, Bartleby'ye doğru yöneldim.

– Bakın Bartleby, işte size bir arkadaş, çok yararı dokunacağını göreceksiniz.

Buyrun efendim, emredin efendim, dedi yahnici, önlüğüyle yerlere kadar eğilerek, umarım buradan hoşnut kalırsınız, efendim, güzel alanlar – serin daireler – umarım bir süre bizlerle kalırsınız – sizi rahat ettirmek için çalışacağım. Akşam yemeğine ne arzu edersiniz?

– Bu akşam yemek yememeyi tercih ederim, dedi Bartleby ve başını çevirdi. Bana uymaz, yemeğe alışkın değilim, dedikten sonra sessizce alanın öte yanına yürüdü, yüzü boş duvara dönük yerleşti.

Yahnici şaşkın bir bakışla bana doğru yönelip:

– Bu da ne? Biraz kaçık, değil mi?

– Sanırım biraz rahatsız, dedim üzgün üzgün.

– Rahatsız mı? Hay Allah, ben de dostunuzu kalpazan bir beyefendi sanmıştım. Bütün kalpazan beyler soluk yüzlü ve iyi görünüşlü olurlar. Acımamak elimden gelmiyor bayım. Monroe Edwards'la hiç tanıştınız mı? diye ekledi dokunaklı bir şekilde, sonra da sustu.

Elini acıyla dolu omzuma koydu, içini çekti:

– Sing-Sing cezaevinde veremden öldü. Demek Monroe ile tanışmadınız?

– Hayır, kalpazanlarla hiçbir bağlantım olmadı. Daha fazla kalamam. Dostuma iyi bakın. Yine geleceğim.

Birkaç gün sonra, yeniden Tombs'a kabul izni aldım. Geçitlerde dolaşıp Bartleby'yi aradım, ama bulamadım.

– Az önce hücresinden çıkarken gördüm, dedi gardiyan, herhalde avluya gitmiştir.

Gösterdiği yöne ilerledim. Başka bir gardiyan geçerken:

– Sessiz adamı mı arıyorsunuz? Avluda uzanmış uyuyor. Yirmi dakika önce orada gördüm.

Avlu bomboştu. Bütün tutuklulara açık değildi. Şaşırtıcı kalınlıktaki duvarları hiç ses geçirmiyordu. Duvarcılıktaki Mısır niteliği* içime sıkıntı verdi. Buna karşın, yerde yumuşak çim vardı. Sanki ölümsüz pira-

---

(*) Mısır duvarcılığına ve piramitlere anıştırma yalnız simgesel değildir. Eski New York tutukevinin kuzey duvarı, ABD'de Mısır mimarisini yaşatma çalışmasının bir örneğidir.

mitlerin yüreği, garip bir büyüyle, kuşların çatlaklar arasından bıraktıkları tohumlarla yeşermişti.

Duvarın dibine tuhafça sıkışmış, dizleri karnına çekik, kafası soğuk taşlara yaslı, bir yanına yatmış harap Bartleby'yi gördüm. Hiç kımıldamıyordu. Bir an duraklayıp yaklaştım, eğildiğimde donuk gözlerinin açık olduğunu fark ettim. Bu ayrıntı dışında, derin bir uykuda gibiydi. İçimden bir şey dokunmaya itti. Elini tuttum, keskin bir ürperti koluma yayıldı, sonra belkemiğimden ayaklarıma indi.

Yahnicinin tombul suratı dikkatle beni izliyordu:

– Yemeği hazır. Bugün de yemeyecek mi? Yemeden yaşamayı sürdürebilecek mi?

– Yemeden yaşıyor, dedim ve gözlerini kapattım.

– Uyuyor, değil mi?

– Krallarla ve elçileriyle birlikte,* diye mırıldandım.

* * *

Bu öyküyü daha fazla uzatmaya pek gerek yok. Hayal gücüm zavallı Bartleby'nin cenaze töreninin betimlemesini kolaylıkla sağlayabilir. Okuyucudan ayrılmadan önce, şunu da eklememe izin verilsin: Bu küçük anlatı Bartleby'nin kimliği ve anlatanla karşılaşmadan önce nasıl bir yaşam sürdürdüğü konusunda merakını uyandıracak kadar ilgisini çektiyse, buna tek karşılığım, merakını bütünüyle paylaşıyor olmam, ama giderebilmenin kesinlikle elimden gelmeyeceğidir. Ayrıca, yazıcının ölümünden birkaç ay sonra kulağıma gelen küçük bir söylentiyi açığa vurma konusunda da ol-

---

(*) Eski Ahit - Eyüp 3, Ayet 11-16.

dukça kararsızım. Nereden çıktığını asla araştırmadım, bu yüzden ne kadar doğru olduğunu da bilemem. Yine de, ne kadar üzücü olursa olsun, bu belirsiz söylenti benim gözümde anlamdan yoksun değil, başkalarının da paylaşabileceğini düşünerek kısaca söz edeceğim. Bu rapora göre, yönetimdeki bir değişiklik sonucu aniden kovulmadan önce Washington Sahipsiz Mektuplar Dairesi'nde ikinci derece memur olarak görevliymiş. Söylentiyi düşününce içimi saran duyguları anlatacak sözcük bulamıyorum. Sahipsiz mektuplar! Kulağa ölmüş insanlar gibi çalınmıyor mu? Yaradılıştan ve talihsizlikten soluk bir umutsuzluğa eğilimli bir insanı canlandırın kafanızda, umutsuzluğunu perçinlemek için sahipsiz mektupları sürekli ele alıp alevler için sınıflandırmaktan uygun bir iş bulmak olası mı? Her yıl bunlardan bir araba dolusu yakılır. Bazen solgun memur, katlanmış zarftan bir yüzük çıkarır – belki hazırlandığı parmak mezarda çürüyordur ya da aceleyle yardım için gönderilmiş bir kâğıt para bulunur – belki paranın kurtaracağı kişi artık yemiyordur, açlık da duymuyordur; üzüntüsünden ölenlere bağışlama, umutsuzluktan sönenlere umut, sonsuz felaketlerden boğulanlara iyi haberler; yaşamın elçisi bu mektuplar ölüme koşarlar.

Ah Bartleby! Ah insanlık!